●ドラえもんの学習シリーズ

改訂新版

ドラえもんの算数おもしろ攻略 たしざん・ひきざん

〈著者のことば〉

算数を楽しもう

元千葉大学附属小学校副校長

小林敢治郎

　算数は楽しい学習です。算数は、毎日の生活に役立ち便利なものです。算数は、物事をきちんと考える頭の訓練をしてくれます。

　この本は、この算数のよさをしょうかいし、算数が好きな人はさらに好きになるように、算数がきらいな人には親しみを持てるように工夫してあります。また、算数の基になるたし算とひき算の大切なことが読んでいくうちにわかるようになっ

ていきます。

教室では教えてくれないすばらしいアイディアを、主人公のドラえもんが楽しく、わかりやすく示してくれます。

読んでいく時、「もし、自分がのび太くんだったらどうするだろうか。」と考えてみてください。そうすれば、あなたの考える力はさらにのびていきます。

算数はむずかしい学習ではありません。自由に気楽にこの本を読んでください。

—著者紹介—
小林敢治郎（こばやし　かんじろう）
1943年　長野県飯田市生まれ。
千葉大学教育学部卒業。
音楽を聴き、自然を求めて散策するのが好き。著書には「算数学習のアイディア」（小学館）などがある。

もくじ

※チャレンジ問題…教科書にはないが工夫して解ける問題（小学校では直接扱わない）

■5は　いくつと　いくつ

ドラやき大(おお)そうどう

●5の合成・分解
5はいくつといくつで構成されているかが理解できる。おはじきなどを使って的確にとらえられるようになる。
（留意点）5ばかりではなく9までの他の数についても「いくつといくつ」になるか練習させるとよい。

のびちゃん、
ドラちゃん、
おやつよ。
はあい！
でででで

わあい
ドラやきが
5こも　ある！

いただき
まぁす！
ふたりで　わけて
たべるの！

さて、どう やって
わけようか。
まずは、5こを、
いくつと、いくつに
わけるかだね。

1こと
4こでは？
ぼくが
そんだ。
2こと
3こでは？
それでも
ぼくのが
すくない
4こと
1こなら
いいな。
だめ！
3こと
2こなら
いいだろ。
だあめ！

じゃ　ぼくが
5こだ!!
いや！　ぼくが
5こだ!!

なに やってんの、
ふたりとも！
ボカスカ

5こを、
ふたりで
わけるって
むずかしい
よ。
じゃあ
クイズが
できた 人(ひと)に
おおく
あげる。

ドラやきは、ぜんぶで
5こ　あります。ふくろの
そとには、その　うち
2こ　出(で)て　います。
では、ふくろの　中(なか)には
いくつ　かくれて　いる
でしょう。
?

3こ!!
すごい……。

じゃ、4こ　そとに　出て　いる　ときは？
中には　1こ。
3こ出てたら？
中に　2こ！
1こでは？
4こ！
4こ！
ぼくが　先に　こたえた！
ぼくだ！

さて、ふくろの中にはいくつ ある？
これにこたえられたほうに、ぜんぶあげるわよ。
こたえは５こだ!!
そとに 出てるのは １こもないから…、
はずれよ。けんかになるから、ママが ぜんぶいただきました。
ひ、ひどい……。
からっぽだ。

れんしゅう しよう

1 □の 中(なか)の かずは いくつですか。

①	4は	1と	□	
②	3は	2と	□	
③	6は	4と	□	
④	8は	5と	□	
⑤	7は	2と	□	
⑥	2と	1で	□	
⑦	4と	1で	□	
⑧	5と	2で	□	
⑨	3と	6で	□	
⑩	4と	4で	□	

2 □の 中(なか)に かずを かきましょう。

① 1 と 2 → □

② 3 と 2 → □

③ 5 と 2 → □

④ 4 → 2 と □

⑤ 6 → □ と 4

⑥ 9 → □ と 5

こたえは 218～223ページに あります。

■10は　いくつと　いくつ

●10の合成・分解
10はいくつといくつで構成されているかが理解できる。
（留意点）８＋７のように繰り上がる計算のもとになるので、すらすら言えるようにしておくとよい。

ひとりで
たべきれる
かなあ。
こらこら。
ドラやき

9 と 1
8 と 2
7 と 3
6 と 4
5 と 5
4 と 6
3 と 7
2 と 8
1 と 9
10を　2つに
わけると、
これだけ
わけかたが
あるんだ。
10

オセロの　こまで
きめよう。

しょうぶ
だね。
どっちが
たくさん
とるか。

こまは
10こずつ
だね。
のび太くんが
くろい　ほうで、
ぼくが
しろだよ。

わの　中に、
こまが　たくさん
入った　ほうが
かちだよ。
よし。

5かい　しょうぶ
だよ！
ビン！
ビン！

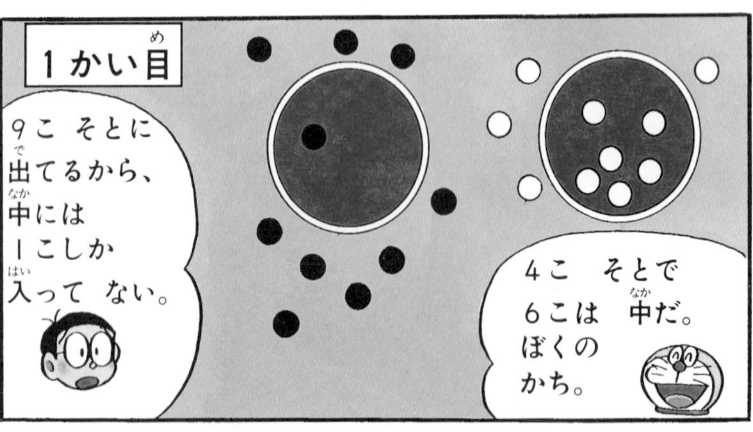
1かい目
9こ そとに
出てるから、
中には
1こしか
入って ない。
4こ　そとで
6こは　中だ。
ぼくの
かち。

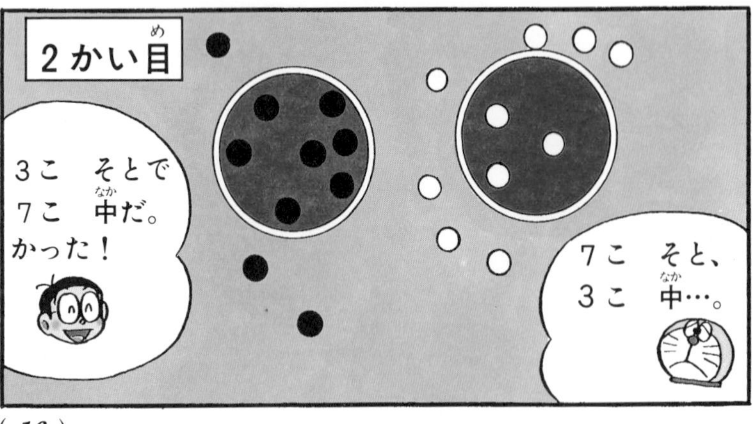
2かい目
3こ　そとで
7こ　中だ。
かった！
7こ　そと、
3こ　中…。

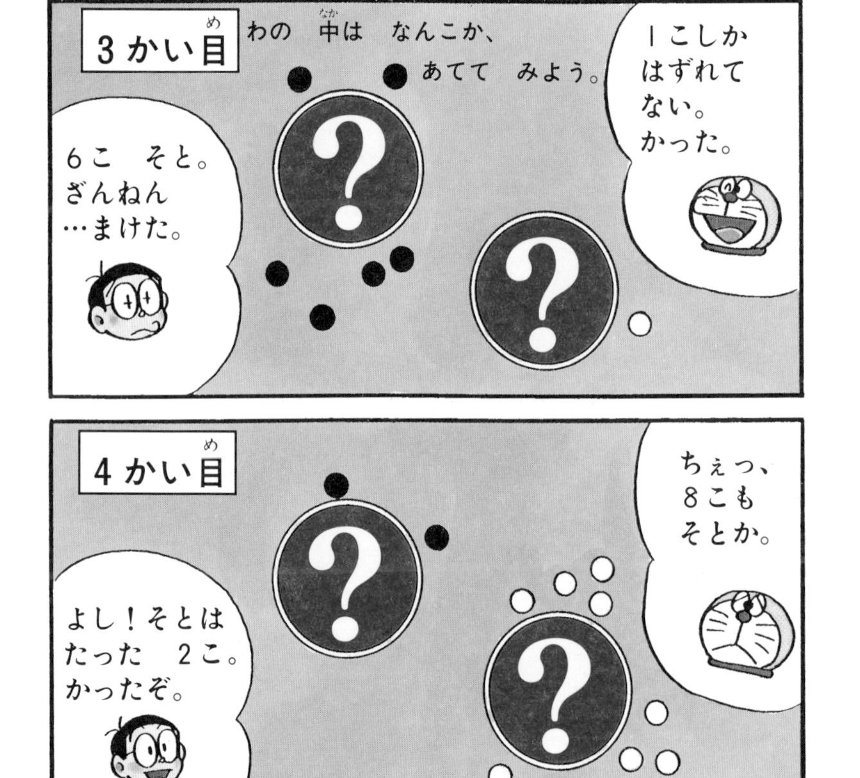
3かい目
わの 中は なんこか、あてて みよう。
1こしか はずれて ない。かった。
6こ そと。ざんねん …まけた。
4かい目
ちぇっ、8こも そとか。
よし！そとは たった 2こ。かったぞ。

ようし、さいごの けっせんだ！
これで 2しょう 2はいか…。

ひきわけ
だね。
ジャーン
どっちも
５こが
そと
だから
………、

こんなに
ちらかして！
なん
ですか！

なかよく
５こずつ
たべよう。
しかたが
ない。

たべたく　ないなら
たべなくて
けっこうよ！

れんしゅう しよう

1 □の 中(なか)の かずは いくつですか。

① 1 と □ で 10	⑥ □ と 4 で 10
② 2 と □ で 10	⑦ □ と 3 で 10
③ □ と 7 で 10	⑧ 8 と □ で 10
④ □ と 6 で 10	⑨ 9 と □ で 10
⑤ 5 と □ で 10	

2 □と ○と ◇の 3つの かずを ――で むすんで、あわせて 10に しましょう。

①

（れい）

□ 4 1 2 3

○ 3 2 1 4

◇ 5

②

□ 3 5 1 2 4

○ 1 3 4 5 2

◇ 4

こたえは 218〜223ページに あります。

あわせて ふやす

●たし算の意味と式①（合併）
たし算が用いられる場面の1つとして、2つの集まりを「あわせる」とき（合併）があることを理解し、たし算の記号や式のよみ方、書き方がわかる。
（留意点）たすことのできる場合は、同じものであって、ちがうものはたせない。

どうして？
学校いきたくない。
だって、きょうからたしざんがはじまるんだよう。
のび太くん、あのグループをみてごらん。
たしざんなんて、かんたんだよ。
ドラえもんは、ロボットだから、そういうけど……。

男の子が4人と、
女の子がふたりだね。

あわせたら、どう　なる？
そんなの　かんたんだい。
男の子と女の子をあわせたら…。

てれくさくて、しゃべれない。
もじもじ
そう　いう　いみじゃ　なあい！
かずを、あわせるの！
4人とふたりだから…

たとえば、いまの
かずを　しきに　すると、

4たす　2は　6

という　いいかたに
なる。

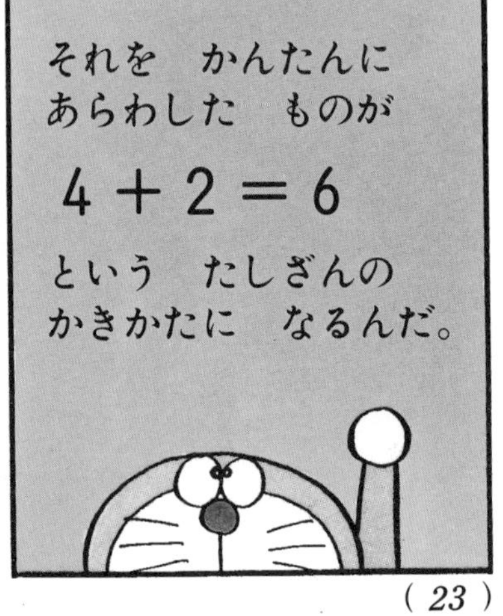

ぼくの
おしえかたが
いいからね。
エヘン。
なんだ、
たしざんて、
かんたんじゃ
ないか。

人(にん)げんが ひとりと
犬(いぬ)が 1ぴきで
1＋1＝2だ。

それは
ひとりと
1ぴき
……
あれ？
2は いいけど
ふたりと
いうの？
2ひきと
いうの？

え？
それは、
ちがうよ。

とり　2わと、ねこ　1ぴき
おなじ　人げんなら、ひとり　たす　ひとりで、ふたりに　なるけど、なかまが　ちがうと　いいかたが　かわるだろ。
バット　1本と、ボール　3こ
そうだよ。
そうか、たしざんは、おなじなかまに　しか　つかえない　わけだね。
クッキーは　クッキーで　みんな　おなじだよ。
それじゃ、どうぶつクッキーは、みんな　ちがう　かたちだから、たせないな。

そとを　あるいて　いても、
たしざんの　れんしゅうが
できるから、
やってみよう。
上のビルの まど6つと、
下のビルの まど2つ。
上の すずめ 3わと、
下の すずめ 4わ。
赤い 車 2だいと、
白い 車 1だい。

赤い ふうせん 5つと、
白い ふうせん 2つ。
けむりが 出ている
えんとつ 1本と、
出ていない
えんとつ 3本。
白ねこ 2ひきと、
くろねこ 3びき。
おとな ふたりと、
子ども 4人。

■たしざんって　なんだ？　②

●たし算の意味と式②（増加）
たし算を用いる場面として「ふえる」（増加）という場合もあることが理解できる。
（留意点）「あわせる」と、「ふえる」は同じ操作になることに気づかせる。

いや…、そんなことない。
おれとじゃいやだっていうのか!?

「ふえる」というのもたしざんだよ。
そうだな！
人(ひと)がふえるのはたのしい。

いま　みたいに、はじめ　ふたりで、あとから　3人(にん)　ふえただろ、これを　しきに　すると、2＋3＝5に　なるんだ。
あわせるのと、ふえるのは、おなじ　しきになるんだね。

たしざんを
しながら、あるいて
いるのね。
おもしろそうだ、
おれたちも
やろう。

ふえた　ものを、
さがしながら
いこう。

あら、あの
のらねこ。

こねこが
6ぴき
いる。
あかちゃんが
うまれたのね。

はじめが　1ぴきで、
ふえたのが、6ぴき、
だから、
1＋6＝7だね。

ぼくの　いえの　車（くるま）も、ふえたよ。
また、あたらしい　車（くるま）を　かったの？

いままで、5だい　あったんだけど、こんどは、キャンピングカーを　かったんだ。

5＋1＝6で　6だいに　ふえたのね。
うん。

なんだ、そんなことなら　おれも　しってるぞ。

やきゅうの しあいの とき、 8人しか そろわなかった ときだ。
ぼくを よんで くれたら、
8＋1＝9
で、9人に なるよ。
のび太
やきゅうは、 9人で やるから、 あと ひとり ふやさないと だめだね。

それじゃ たしざんに ならない やい。
ミャー
のび太を いれるくらいなら、 ねこに はいって もらう。

ほんと、じかんのたつのもわすれるよ。
たしざんて、たのしいわね。

ちこくだあっ。
しまった、学校にいくのを、わすれてた！

ひくのは かぜだけ？

●ひき算の意味と式①(減少)
ひき算が用いられる場面の1つとして、残りを求める(求残)場合があることを理解し、ひき算の記号や式の読み方、書き方がわかる。
(留意点) たし算とひき算の違いに着目させる。

す、するどい。
ドキッ
こんどは、ひきざんが、はじまるんだろ。
まず、かぜのひきかたから、べんきょうしようとおもって。
コーン
コーン
にげて　ばかりいたら、わかるようにはならないよ。

ピアノをひく。

「ひく」といういみを、しってるの？

せんを　ひく。

つなを　ひく。

ねっ、よく
しってるだろ？
ねつが
出(で)て　きた。

「ひく」と　いうのは
「へる」とか「とる」
という　いみだよ。

おなかが「へる」とか、
すもうを「とる」と
いう　ことか。
ちがーう！

たとえば、のび太くんが、だいじに してるシール。

5まい あるだろ。

ここに、ジャイアンがきて…、
おっ、いいシールがある。

2まいもらっていくぜ。

のこったのは？
3まいしかない。

ひきざんて、
すくなく　なる　こと
じゃないか！
そんするの　いやだ！
これが、
ひきざん
だよ。

いまのを、ひきざんの
しきで　いうと、
5　ひく　2は、3
と　なるんだ。
たとえが
わるい。
いまのは、
たとえばの
はなしだよ。

たす　ひく
＋と　－の
きごうが　ちがう
ね。
それを しきに かくと、
5 － 2 ＝ 3
たしざんの
ときと、
かきかたが
にてるね。

ひきざんとは、
もとの、かずから
ひくと　いう
いみだよ。
かえるが　5ひき　いたよ。
ちかよったら、
2ひき　にげたよ、
のこりは　なんびき？
5－2＝3

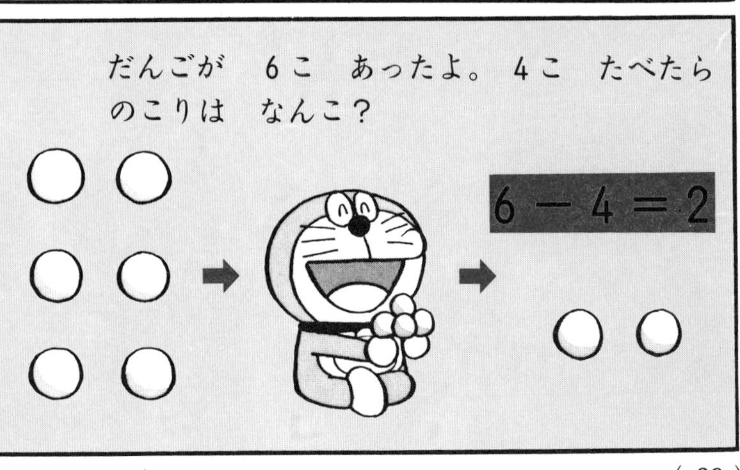
だんごが　6こ　あったよ。4こ　たべたら
のこりは　なんこ？
6－4＝2

■ひきざんって　なんだ？　②

●ひき算の意味と式②（差）
Aの集まりはBの集まりよりいくつ多いか、少ないか、またはAとBのちがいを求めるときにも引き算を用いることがわかる。

（留意点）「ちがい」を求めるときがつまずきやすい。どちらが多いかを判断し、多い方から少ない方をひく点に注意させる。

６と　４の
ちがいは
わかる？

かきかたが
ちがう。
６４

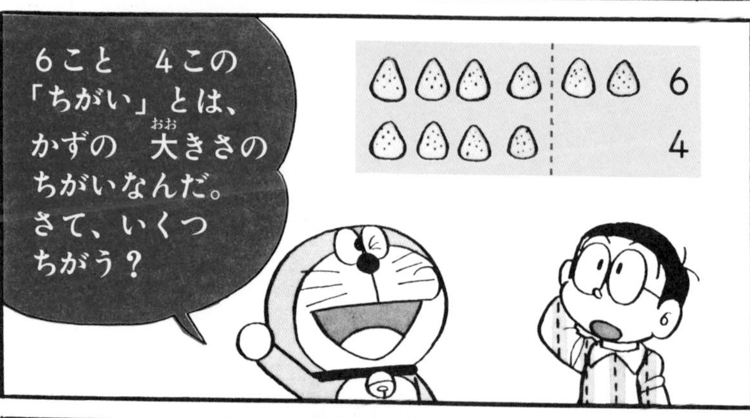
６こと　４この
「ちがい」とは、
かずの　大(おお)きさの
ちがいなんだ。
さて、いくつ
ちがう？
6
4

６から　４こ
とる　ことと
おなじだね。
6 − 4 ＝ 2
ひきざんの
しきに
すると、
こう　なる。

ドラえもんと、ぼくの　いちごのかずの　ちがいは、２こと　いう　わけだね。

のび太くんかしこい！
えへんっ。

ドラえもんのいちごと、とりかえてくれえ。
いやしんぼ！

ドテッ

わあっ、いちごが！

4この うち、
3こが おちた。
4－3＝1
のこりは
1こだね。

そんなの
ないようっ。

ぼくの ぶん、
すこし
わけて
あげるから。

うまい。
うまい。
パク
パク
こら！ ぜんぶ
たべちゃ
だめえっ。

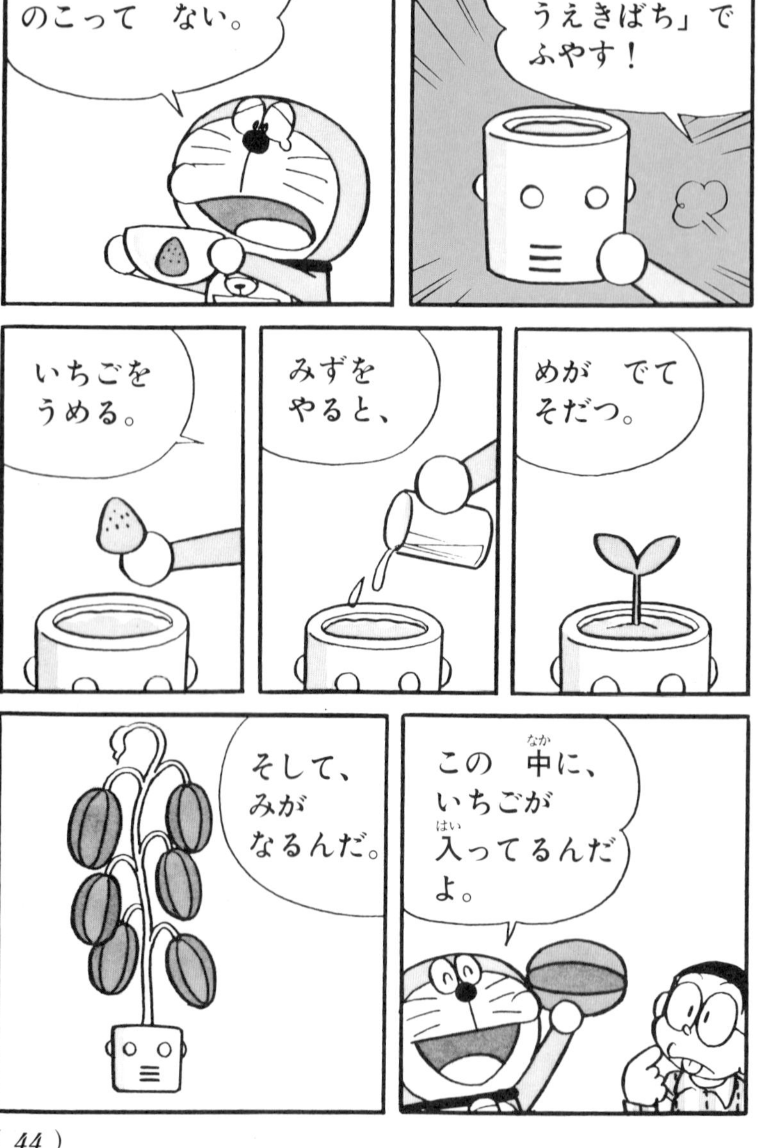
たった　１こしか、のこって　ない。
「フエールうえきばち」でふやす！
いちごをうめる。
みずをやると、
めが　でてそだつ。
そして、みがなるんだ。
この　中に、いちごが入ってるんだよ。

3こ　入(はい)ってる！

ぼくも
もらおう。

5こ　入(はい)ってた！

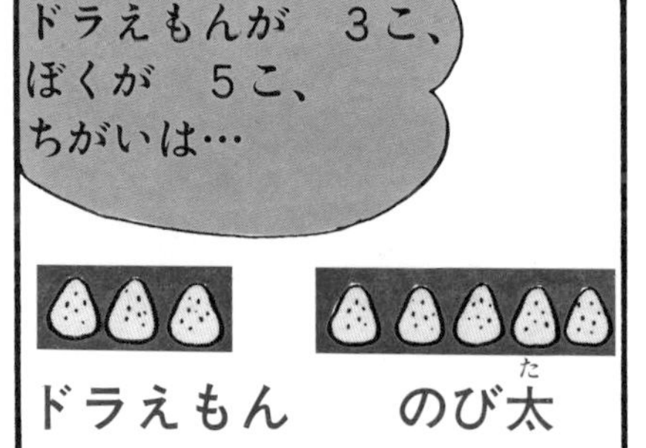
ドラえもんが　3こ、
ぼくが　5こ、
ちがいは…
ドラえもん
のび太(た)

3－5＝…
ひ、ひけない！

ひきざんは、
大(おお)きい　かずから
小(ちい)さい　かずを
ひくんだ。

5 − 3 = 2
それじゃ ぼくの ほうが
2こ　おおいんだ。

あんしん
した。
パク パク
ムシャ ムシャ

こんどは、
ほんとに
おなかが
いたいよう。
もう　しらない！

みんな　ひきざん

りんごが　４こ　のってる
おさらと、２こ　のってる
おさらが　あります。
どっちが　なんこ　おおい
ですか。

えんぴつが　８本あります。
３本　とったら
なん本ですか。

すずめが　７わ　います。
４わ　とんでいったら、
のこりは　なんわですか。

男の子が　３人、女の子が
ふたり　います。
ちがいは　なん人ですか。

■10までの　たしざん

●10までのたし算

5＋2＝7のような、和が10より小さなたし算が、正しくできるように、練習する。

（留意点）カードを使い練習させるとよい。答えの数から式をさがすなどの方法もある。

問題文や事象を見て、式を書き答えさせる練習もよい。

「おいしゃさん
かばん」！

いま　なおして
やるからね。

エーッ!?
ばきっ

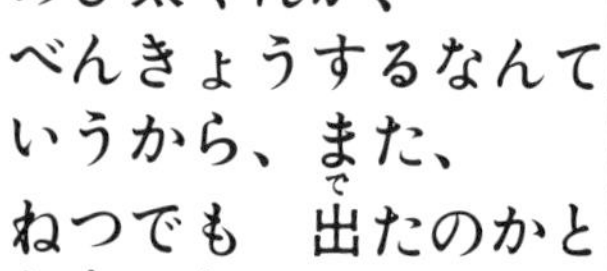
のび太くんが、
べんきょうするなんて
いうから、また、
ねつでも　出たのかと
おもった。

えっ、びょう気じゃ
ないの？

こんど、
0てんを とったら、
おこづかいを
はんぶんに します！
あした さんすうの
テストが あるんだ。
なるほど。
だから、
いやでも、
がんばらないと、
だめなんだよ。
グーッ
わかった。
じゃま
しない
でね。

ジァアア～～！
うひゃっ。

まずは、たしざんのとっくんだ。

おねがいっ！べんきょうてつだって！

まちがえたらこれが　すみをつけるよ。

「バッテンふで」！

こたえは
いくつ？
2＋3

ぞろぞろ
ぞろぞろ

ピタッ

5だ！
ベチョ

あってるだろ!?
こたえるのが、おそすぎるんだよ。

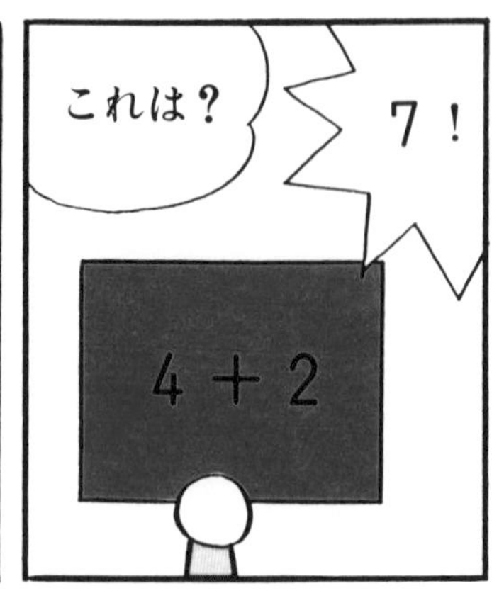
これは？
7！
4＋2

こんどは
はやかったのにい。
ベタッ
こたえは　6
まちがえたら
なんにも
ならない。

つぎは　これ！
4 ＋ 3

ええと、
4と。
3だね。

ベチョッ
7だよ、
ゆびを
おってたら
おそく なるよ。

しきを　見(み)ただけで、
こたえられる　ように
なろうね。

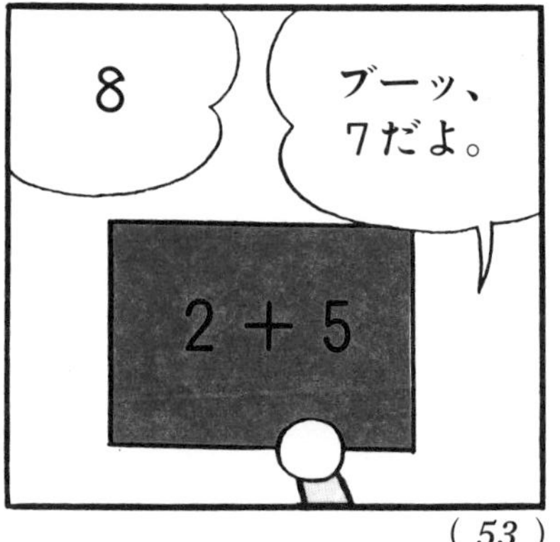
8
ブーッ、
7だよ。
2 ＋ 5

これなら、かんたんだろ。
1＋1
4
7
ブーッ。
だめ。
まっくらで　なにも見えなあい。
ええっ!?
わからない。
本を　2さつもってごらん。
まだやるの？
じぶんでもんだいをつくるのも、れんしゅうになるよ。

本を　2さつ　もって
いました。その上に
3さつ　のせたら、ぜんぶで
なんさつですか？
その上に
3さつ　のせる。

これで
もんだいが
できたでしょ。
こたえは
5さつ
だね。
ぼくも　やろう、
本を　5さつ
もって　いました。

その上に、4さつ
のせたら…。
こたえ
は？
おもくて
もてない。

れんしゅう しよう

1 たしざんを しましょう。

① 3 ＋ 2 ＝□　② 5 ＋ 1 ＝□

③ 2 ＋ 1 ＝□　④ 6 ＋ 3 ＝□

⑤ 8 ＋ 2 ＝□　⑥ 4 ＋ 5 ＝□

⑦ 7 ＋ 3 ＝□　⑧ 1 ＋ 9 ＝□

⑨ 5 ＋ 4 ＝□　⑩ 4 ＋ 3 ＝□

2 えを みて、たしざんの もんだいを つくり、しきと こたえを かきましょう。

①

②

①しきと こたえ
（　　　　　　　　）

②しきと こたえ
（　　　　　　　　）

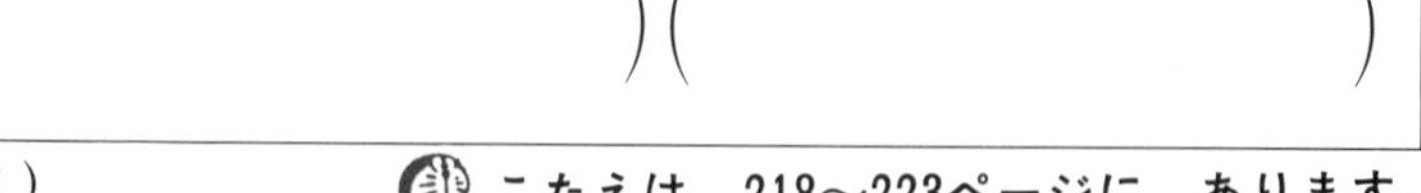

こたえは 218〜223ページに あります。

■10までの　ひきざん

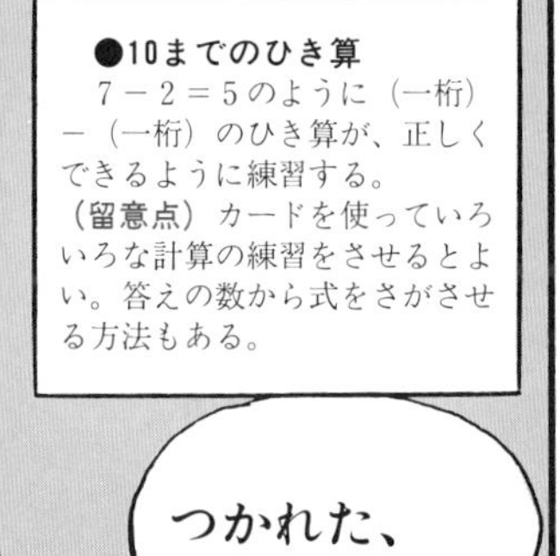

●10までのひき算

7－2＝5のように（一桁）－（一桁）のひき算が、正しくできるように練習する。

（留意点） カードを使っていろいろな計算の練習をさせるとよい。答えの数から式をさがさせる方法もある。

のび太くん、
これの　こたえは
いくつ？
8－2
あちこちに、
ばんちの　ひょうしきが
あるから、ひきざんの
もんだいに　しよう。
8－3
8－2
ひき算の　しき
じゃないのに。
いいの!!
こたえが　3に
なる　ひょうしきを
さがしてごらん。
さあっ、出ぱつ！

（こたえ）５－２　９－６

こんどは　じぶんで
ひきざんの　もんだい
を　つくって　みよう。

ええと、
ふねに　5人
のって いました。

とちゅうで　3人
おりたら、のこりは
なん人でしょう。

すごいっ のび太くん、
できたじゃない！

しきは、
こうだね。
5－3＝
うん
うん。

5－3＝1
こたえが
ちがぁう!!

れんしゅう しよう

1 ひきざんを しましょう。

① 3 － 1 ＝□　② 4 － 2 ＝□

③ 2 － 1 ＝□　④ 6 － 4 ＝□

⑤ 8 － 3 ＝□　⑥ 5 － 3 ＝□

⑦ 7 － 6 ＝□　⑧ 10 － 5 ＝□

⑨ 9 － 7 ＝□　⑩ 10 － 3 ＝□

2 しきと こたえを かきましょう。

① ぶたは　きつね より　なんびき おおいでしょう。

② ドラやき　2こ たべたら　のこりは なんこでしょう

③ ちがいは いくつでしょう。

こたえは　218〜223ページに　あります。

なにも ないって いくつ？

●0の計算

3＋0＝3　3－0＝3のように、0を含む計算の意味が、理解できる。

0の状態を具体的な事象を例に把握する。

（留意点）0の意味を具体的につかませる。

わあいっ、
またつれた！

ピクピク

のび太め、
なまいきな！
ガンッ

3びきも
つってる。

みんな
にげちゃったあっ。

３びき
つって
３びき　にげた
わけだね。
3 − 3 =
こんな
ことまで、
ひきざんに
しないでよ！
まてよ、３から
３を　ひくと、
なにも
なくなるよ。
なんにも
ない　ときは
「０」と
いうんだ。
0
ゼロ
さかなが　つれる
まえ、バケツの
中は、さかなが
０だったよね。
0 + 3 = 3
３びき　つれた
から、こう
なるのか。

ぜんぜん
つれなく　なった。

「てばり」！

なんとか
してようっ。

これを　つかえば、
いくらでも
つれるよ。
わあい。

ひどい
やつだ！
おれに　かせ。

これを、
はんぶんに
して。
ぱきっ
よびたい
おきゃくに、
きて　もらう
くすりだね。

「しょうたい
じょう」！
しょうたいじょう

そっちは
うみだよ。

これを　えさに
すると、大(おお)ものが
つれるよ。

れんしゅう しよう

1 けいさんを しましょう。

① 3 ＋ 0 ＝□　② 5 ＋ 0 ＝□

③ 0 ＋ 8 ＝□　④ 0 ＋ 1 ＝□

⑤ 9 － 0 ＝□　⑥ 4 － 0 ＝□

⑦ 0 ＋ 0 ＝□　⑧ 0 － 0 ＝□

⑨ 5 － 5 ＝□　⑩ 7 － 7 ＝□

こたえは　218〜223ページに　あります。

■3つの　かずの　けいさん

ピクニックは むずかしい

● 3 口の計算

4＋3＋2＝9のように、三つの数のたし算、ひき算の計算の仕方がわかる。

（留意点）二つの数を先ず計算し、その答えとのこりの数を計算させるようにする。

のりを　まいた
おにぎりが　4こ、
ごまの
おにぎりが　2こ、
うめぼしの
おにぎりが　3こ
あるの。

4こ　2こ　3こ

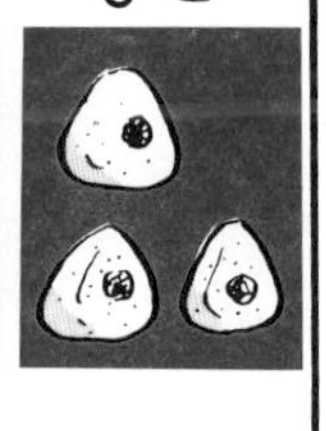

まず　はじめの
しきを、さきに
けいさんする。

まず　4＋2を
けいさん　して。

4＋2＋3

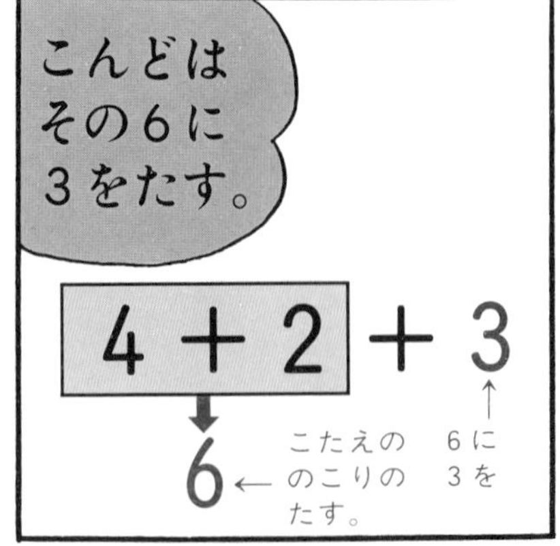

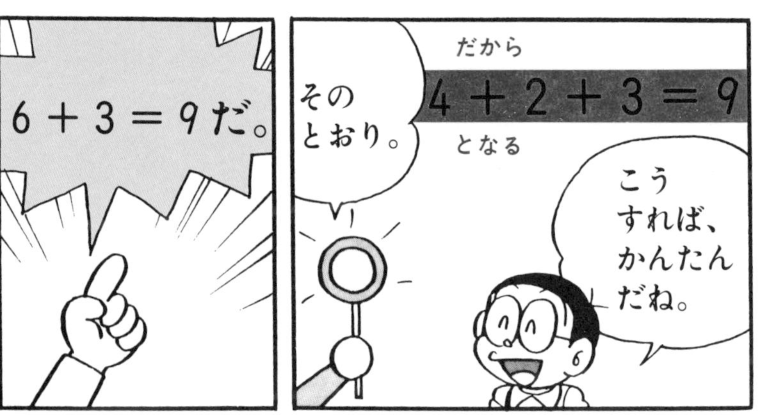
6＋3＝9だ。
そのとおり。
だから
4＋2＋3＝9
となる
こうすれば、かんたんだね。

しずちゃんのおにぎりは、おいしいなあ。
パクパク

サンドイッチもたべて。

8こ　あるぞ。

いただき
まあす。

うまい
うまい。
パク
パク
ぼくも、
まけない。
ムシャ
ムシャ

3こ
たべちゃった。

ぼくは
4こだぞ。

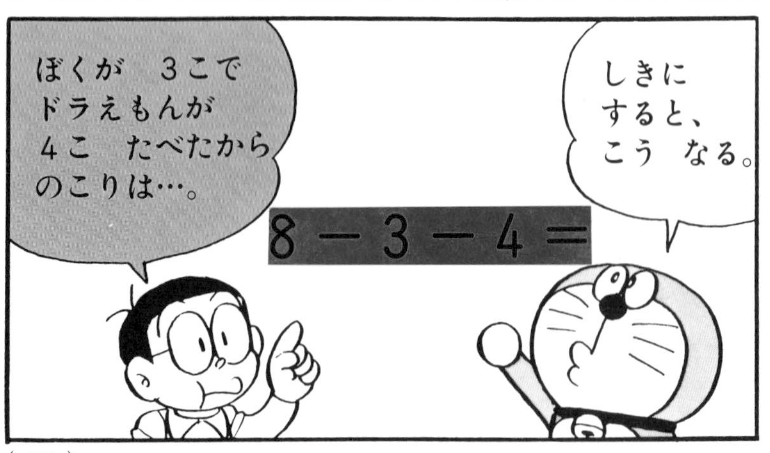
ぼくが　3こで
ドラえもんが
4こ　たべたから
のこりは…。
8－3－4＝
しきに
すると、
こう　なる。

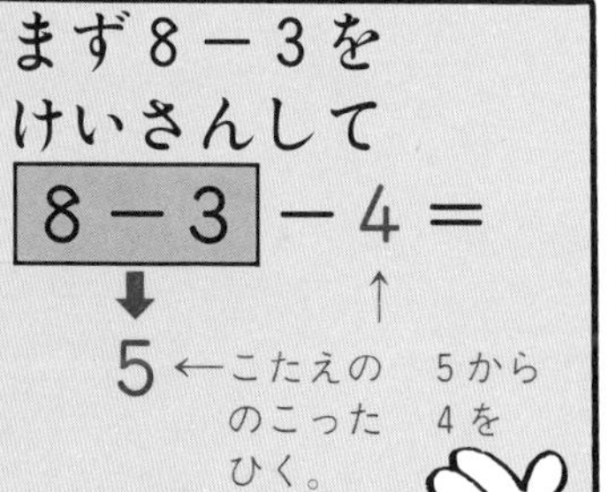
まず8－3を
けいさんして
8－3 －4＝
5←こたえの
のこった
ひく。
5から
4を

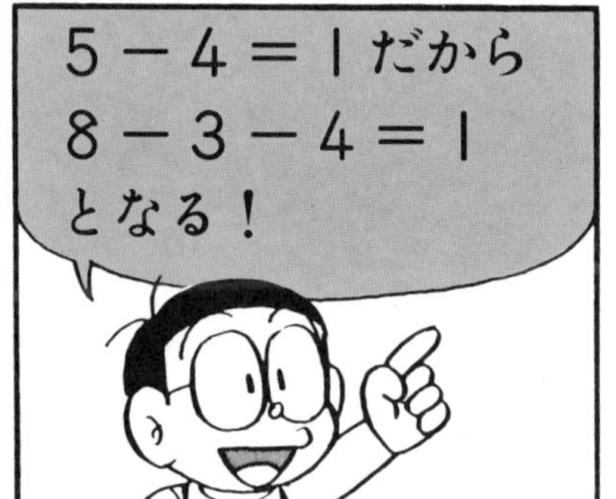
5－4＝1だから
8－3－4＝1
となる！

えらい！
よく
できたね。
えへん!

ところで、
のこりの
1こは？
ぼくが
たべた。

ドラえもん
ずるい!!

れんしゅう しよう

1 れいの ように けいさん しましょう。

（れい） 2 ＋ 1 ＋ 4 ＝ [3] ＋ 4 ＝ [7]

① 5 ＋ 2 ＋ 3 ＝ [　] ＋ 3 ＝ [　]

② 3 ＋ 4 ＋ 2 ＝ [　] ＋ 2 ＝ [　]

③ 7 ＋ 3 － 5 ＝ [　] － 5 ＝ [　]

④ 8 － 4 ＋ 6 ＝ [　] ＋ 6 ＝ [　]

⑤ 10 － 6 － 3 ＝ [　] － 3 ＝ [　]

2 しきと こたえを かきましょう。

① ことりが　5わ　いました。3わ　とんでいって　4わ　とんで　きました。のこりは　なんわですか。

（　　　　　　　　　　　　）

② みかんが　10こ　あります。ぼくが　3こたべて、おにいさんが　4こ　たべました。なんこ　のこったでしょう。

（　　　　　　　　　　　　）

こたえは　218～223ページに　あります。

■20までの　たしざん

サッカーは 11人で

●10をこえるたし算
8＋3のように、和が10をこえるたし算ができる。
（留意点）（8＋2）＋1のように、まず10のまとまりを作ることがポイントである。

つなひきの…
せんしゅか。

おうい
のび太！
なんだろ。

おまえたち　３人
サッカーの　チームに
入って　くれ。

いま　なん人　いるの。

それが　９人しか
きてないんだ。
おまえたちが
入ると
ちょうどに
なる。

３人　入ると、かずがあわないよ。
え？
わかった、ぼくたちにまかせて。
サッカーチームは11人だから、そうかやっぱり……。
9に　3を　たすと9…10、11、12。
そんなけいさん、かぞえなくてもできなくちゃ。
いえジャイアンがただしい。
なんだと!!

「９たす３」だから、10より　大きく なるね。そこで、まず９と　いくつで10に　なるか、かんがえて　みよう。
10
１と９　９と１
２と８　８と２
３と７　７と３
４と６　６と４
５と５
９と１で10になるんだね。
３を　１と　２に　わける。
９＋３＝
９＋１＋２
９を　10に　するために　１を　たす。
10
10＋2＝12
だから
９＋３＝12
となる。
のこりはふたりだから10と　２で12人。
12人じゃ　なぜわるいんだっ！

そうか、やっぱり
サッカーは
11人で　やるんだ。

という　わけで
のび太は
いらない。
そんな
あっ。

こたえが　10より
大きく　なる　計算は
ちょっと　考えちゃう
わね。
じゃあ　もう
一ど　やるよ。

まずは　10の
まとまりを
つくる　ことから
はじめるんだ。

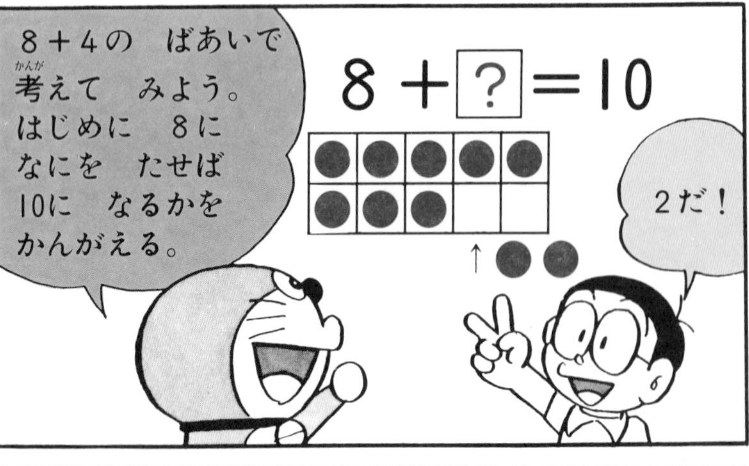

8＋4の　ばあいで
考(かんが)えて　みよう。
はじめに　8に
なにを　たせば
10に　なるかを
かんがえる。
8＋?＝10
2だ！

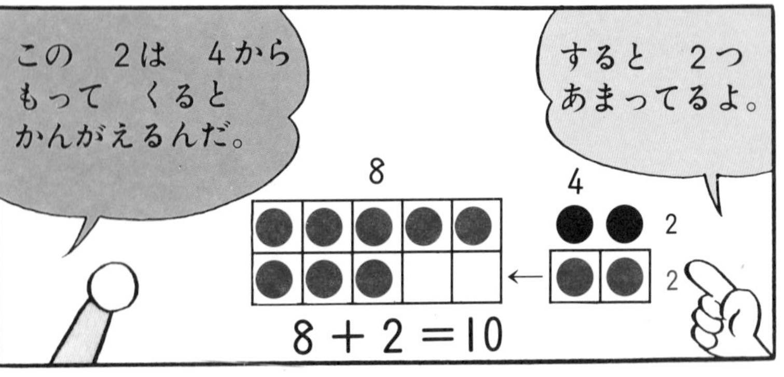

この　2は　4から
もって　くると
かんがえるんだ。
すると　2つ
あまってるよ。
8
4
2
2
8＋2＝10

この　あまった
2を　10に
たせば　いい
んだ。
10＋2＝12
なるほど。

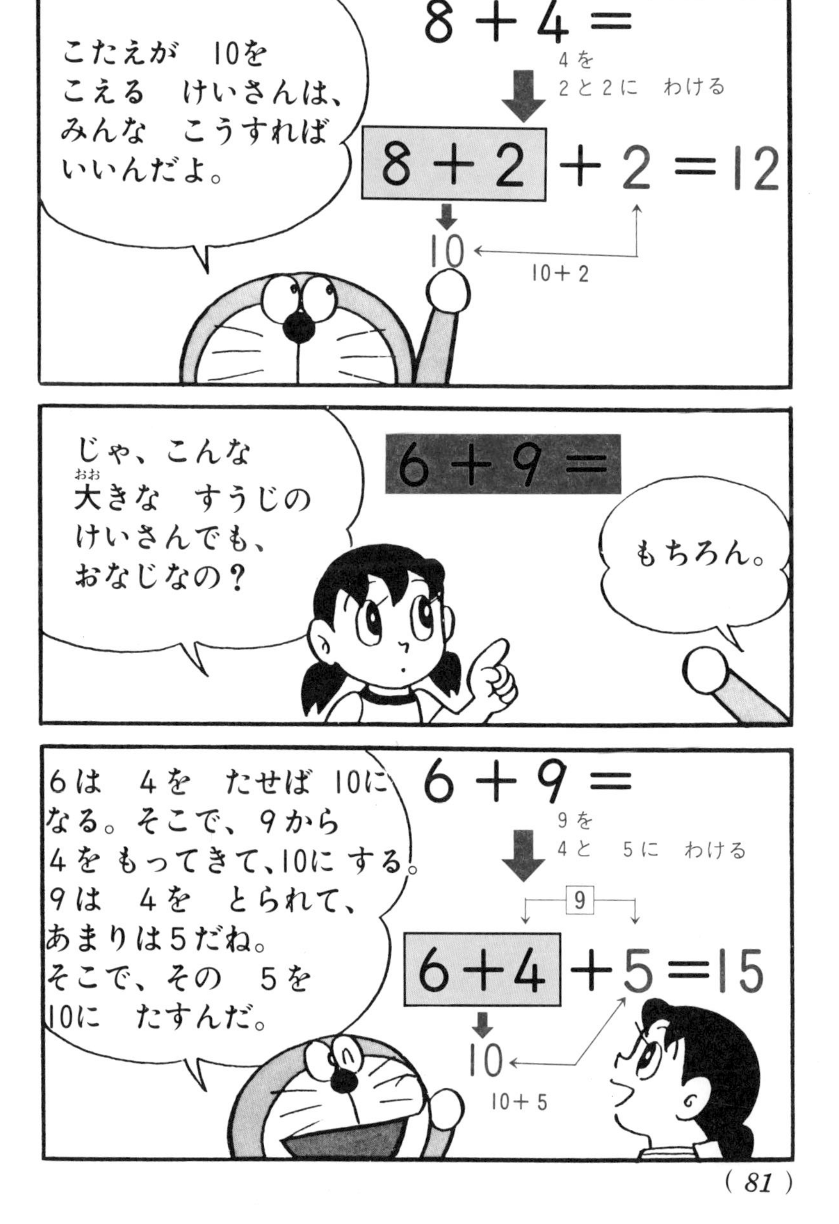

こたえが　10を こえる　けいさんは、みんな　こうすれば いいんだよ。
8＋4＝
4を 2と2に　わける
8＋2 ＋2＝12
10
10＋2
じゃ、こんな 大きな　すうじの けいさんでも、おなじなの？
6＋9＝
もちろん。
6は　4を　たせば 10に なる。そこで、9から 4を もってきて、10に する。9は　4を　とられて、あまりは5だね。そこで、その　5を 10に　たすんだ。
6＋9＝
9を 4と　5に　わける
9
6＋4 ＋5＝15
10
10＋5

そうだよ、
むずかしく
かんがえる
ことは、
ないんだ。
10の　まとまりを、
つくれば、
かんたん
なんだね。

のび太、
おまえを
いれて やる。
よく　かんがえたら、
ドラえもんは、
学校の　生とじゃ
ないから
出られないんだ。

たっぷり
しごいて　やる
から、あんしん
しろ。
がんばってね。

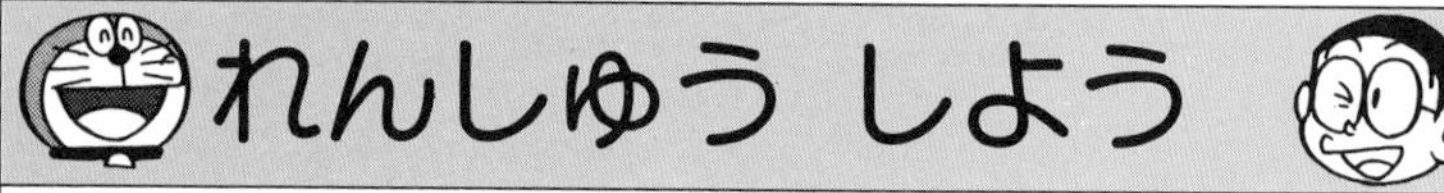

れんしゅう しよう

1 7＋5の　けいさんを　しました。□の中（なか）に　すうじを　いれましょう。

① 7を　10に　するには□を　たせば　いいので、5を　3と□に　わける。

② つぎに、7に□を　たして　10。10に　5を　わけた　のこりの□をたす。

2 □に　すうじを　いれましょう。

① 8 ＋ 4 ＝ 8 ＋ □ ＋ 2 ＝ □

② 5 ＋ 9 ＝ 5 ＋ □ ＋ 4 ＝ □

3 たしざんを　しましょう。

① 4 ＋ 8 ＝ □　　② 5 ＋ 6 ＝ □

③ 9 ＋ 6 ＝ □　　④ 7 ＋ 4 ＝ □

⑤ 6 ＋ 8 ＝ □　　⑥ 9 ＋ 9 ＝ □

⑦ 8 ＋ 9 ＝ □　　⑧ 5 ＋ 8 ＝ □

⑨ 7 ＋ 9 ＝ □　　⑩ 7 ＋ 6 ＝ □

こたえは　218〜223ページに　あります。

■(十いくつ) ー 1けた

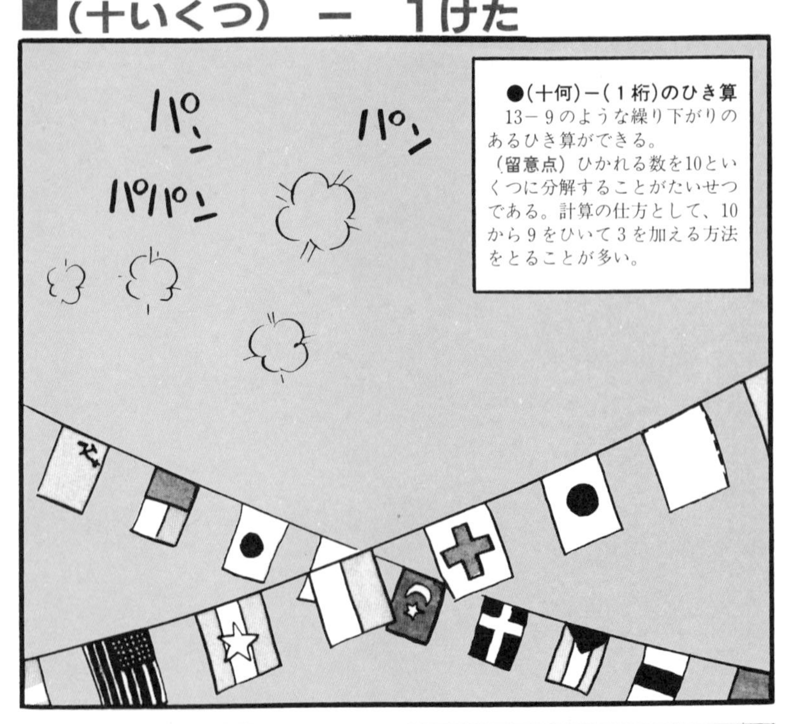
パン
パン
パパン
●(十何)－(1桁)のひき算
13－9のような繰り下がりのあるひき算ができる。
(留意点) ひかれる数を10といくつに分解することがたいせつである。計算の仕方として、10から9をひいて3を加える方法をとることが多い。

いよいようんどうかいだ。
なにに出るの?

もちろんリレーの!
ゴールのテープをもつ かかりじゃ ないんだろうね。

おうい、リレーがはじまるぞう。
はあい。
スルスル
のび太、おまえリレーに　出ろ。
ぼくは　せん手じゃないよ。
きょう　9人も休んじゃったんだ。
9人!?
リレーの　せん手は12人だよ。

グラウンド
百しゅうだ！

わかるような
気が　する…
ちょっと　れんしゅうを
きつく したら、このざまだ、
なさけない！
しきに　すると
こう　なるよ。
12－9＝
そう　すると、
のこって　いる
せん手は…。

と、いうことは…。
ドラえもん
タッチ！

12から　ひくばあい、
まず、12を
10と　2に
わける。
12
↓
10と 2
ここでも
10の
まとまりを
つくる
わけだ。

そして、
10の まとまりから、
9を ひくんだよ。
2は
おいといて…
10−9=1
2

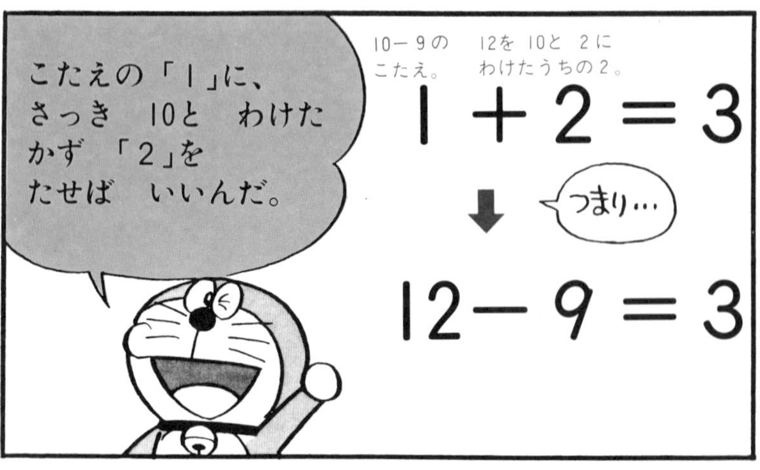
こたえの「1」に、
さっき　10と　わけた
かず　「2」を
たせば　いいんだ。
10－9の
こたえ。
12を 10と 2に
わけたうちの2。
1＋2＝3
つまり…
12－9＝3

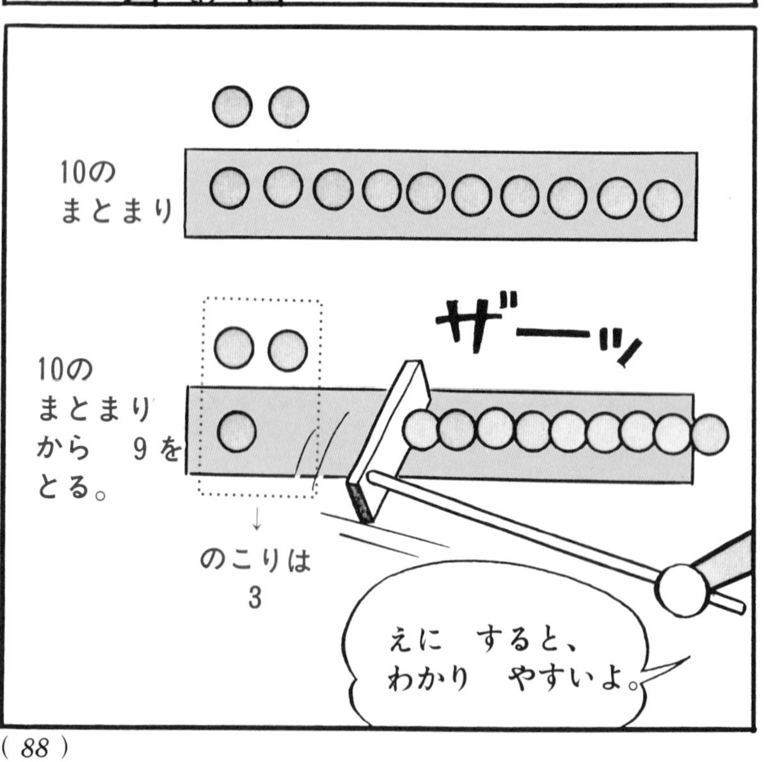
10の
まとまり
10の
まとまり
から　9を
とる。
ザーッ
のこりは
3
えに　すると、
わかり　やすいよ。

しかし　3人しか
いないなんて…。

のび太には、
9人ぶん
はしってもらう。
ひええっ。

ドラえもうん
たすけてよ！

よし。

「ハッスル
ねじまき」！

これを　まくと、
すごい　スピードで
うごけるよ。
ギーコ
ギーコ

よし　もっと
はやく　はしれる
ように、おれも
まいて　やる。
ギーコ
ギーコ

もう　だい
じょうぶ。

ねじが
きれるまで。
どこまで　はしったら
とまるのおっ!?

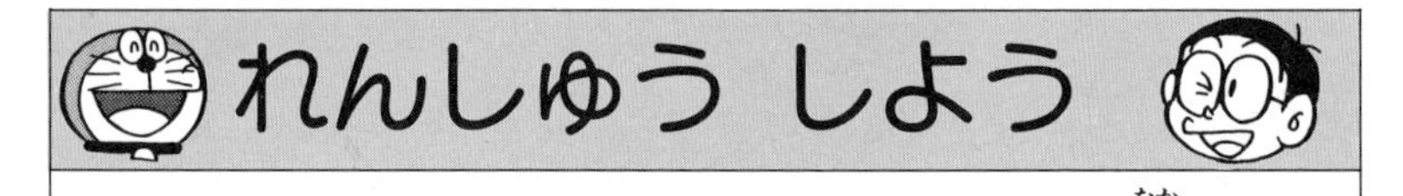

れんしゅう しよう

1 13−5の けいさんを します。□の 中(なか)に あう すうじを いれましょう。

① 13 − 5の 13を □ と3にわけます。

② 10から □ を ひきます。

③ こたえの 5に □ を たします。

2 □に すうじを いれましょう。

① 15− 6 ＝（10＋□）− 6 ＝10− 6 ＋□

＝□

② 11− 9 ＝（□＋ 1 ）− 9 ＝□− 9 ＋ 1

＝□

3 ひきざんを しましょう。

① 11 − 4 ＝ □　② 17 − 9 ＝ □

③ 12 − 6 ＝ □　④ 11 − 8 ＝ □

⑤ 14 − 7 ＝ □　⑥ 15 − 6 ＝ □

⑦ 16 − 8 ＝ □　⑧ 18 − 9 ＝ □

こたえは　218～223ページに　あります。

■たしざんの　きまり

きまりは たいせつだ！

●たし算のきまり
10を越えるたし算の計算練習をしながら、和が一定のとき、一方がａ増えれば、他方はａ減るというたし算のきまりがわかる。
（留意点）答えが同じになる式を集めてみると、きまりがよくわかることに着目させる。

たしざん　しながら
ろうかを　はしるなとか、
そんな　きまりなんかが、
あるわけ？
たしざんきんし
ちがあう!!

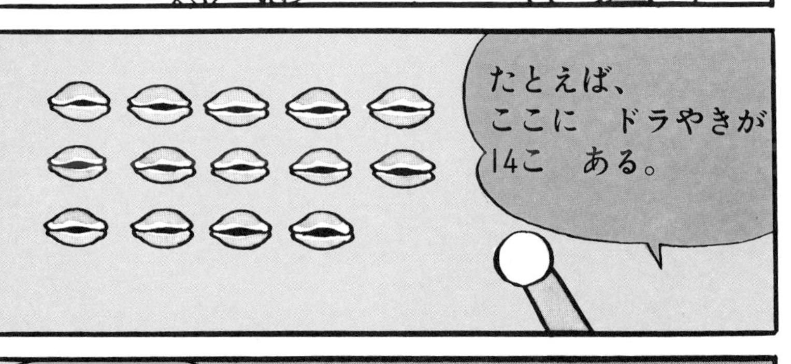
たとえば、
ここに　ドラやきが
14こ　ある。

これを、
9こと　5こに
わけて　みよう。
9こ
5こ

ぼくは、9この
ほうを　もらう。
たべるんじゃ
なあい!!

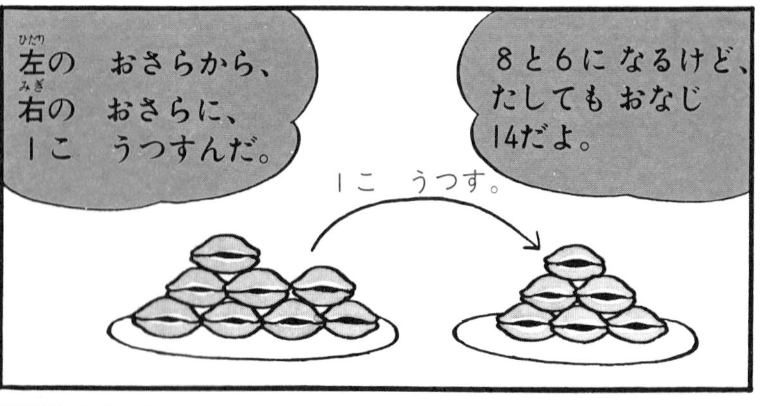
左(ひだり)の　おさらから、
右(みぎ)の　おさらに、
1こ　うつすんだ。
8と6に なるけど、
たしても おなじ
14だよ。
1こ　うつす。

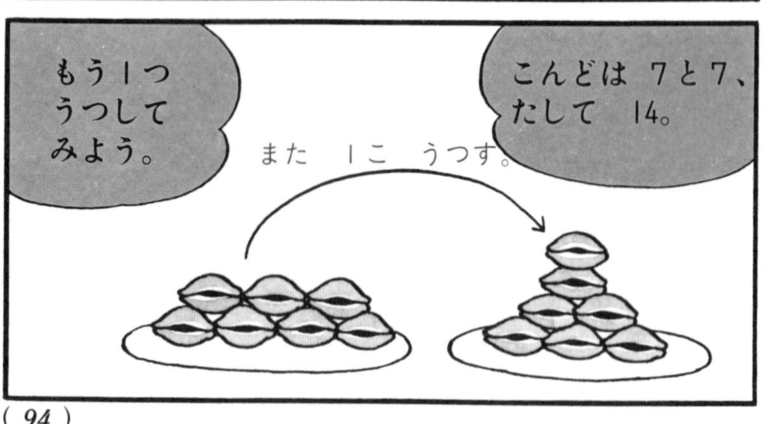
もう1つ
うつして
みよう。
こんどは 7と7、
たして　14。
また　1こ　うつす。

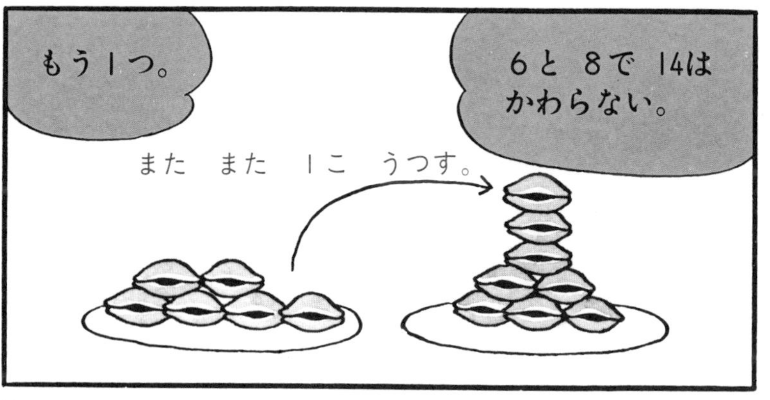
6と 8で 14は
かわらない。
もう1つ。
また また 1こ うつす。

こたえ 14
しき
9＋5
8＋6
7＋7
6＋8
5＋9
右(みぎ)は 1 ふえる
左(ひだり)が 1 へる
こたえが おなじ
ときの しきを
よく みてごらん。
左(ひだり)の かずが
1 へるごとに
右(みぎ)の かずは
1 ふえてるね。

これが　たしざんの
きまりなんだ、
わかった？
なんだか
よく　わからない。

それじゃ　もう１つ
やって　みよう。

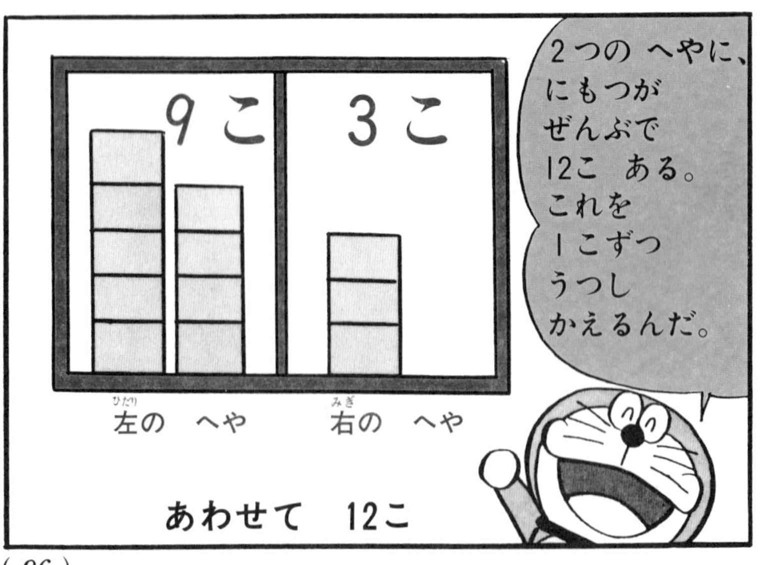
2つの へやに、
にもつが
ぜんぶで
12こ　ある。
これを
1こずつ
うつし
かえるんだ。
9こ
3こ
左の　へや
右の　へや
あわせて　12こ

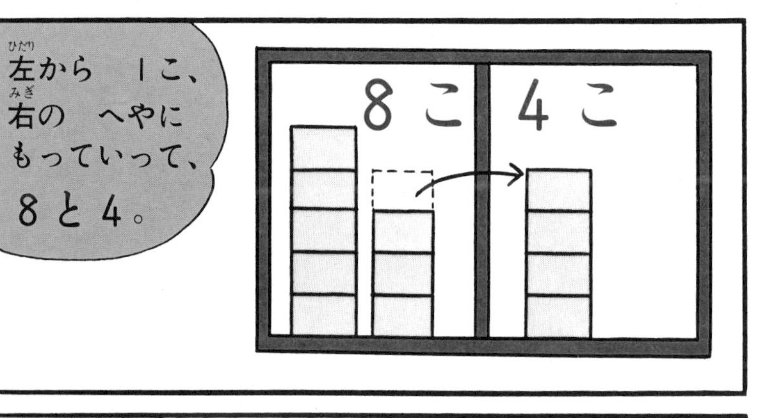
左から　1こ、右の　へやに もっていって、8と4。
8こ
4こ

つぎは 7と5。
7こ
5こ

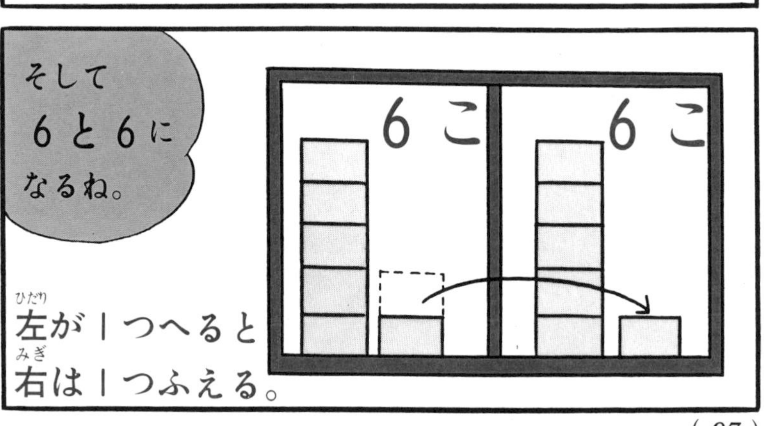
そして 6と6に なるね。
6こ
6こ
左が1つへると
右は1つふえる。

ほんとだ、
さっきと
おなじだね。
こたえ 12
しき
9 ＋ 3
8 ＋ 4
7 ＋ 5
6 ＋ 6
5 ＋ 7
4 ＋ 8
3 ＋ 9
左(ひだり)は 1 へる
右(みぎ)は 1 ふえる
ねっ。

もういちど、
ドラやきで、
ためして みよう。

さっき ぜんぶ
たべちゃった。
すばやい
……。

■ひきざんの　きまり

●ひき算のきまり
くり下がりのあるひき算の計算練習をしながら、差が一定のとき、一方がa減ると、他方もa減るという規則性がわかる。
（留意点） たし算のきまりと、ひき算のきまりのちがいに着目させる。

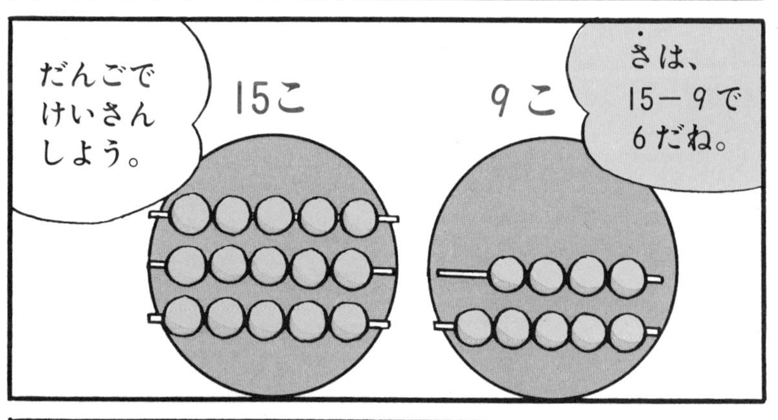

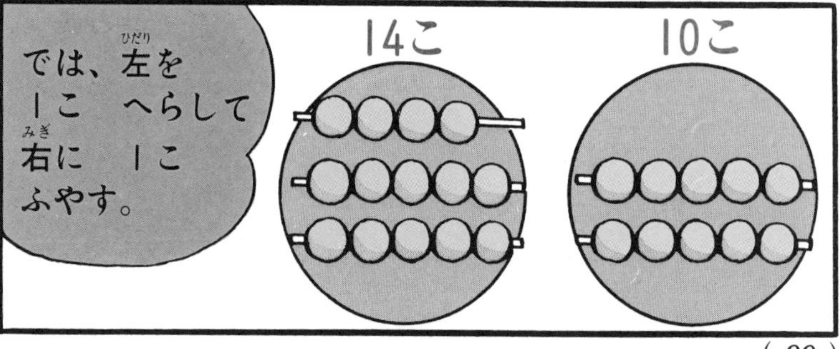

あれ？こたえが
６から　４に
へっちゃった。

左と　右の　さは
14ー10で４だ。

りょうほうを
へらして
いかなければ
だめなんだ。
だから、
こたえを
おなじに
しようと
すれば。

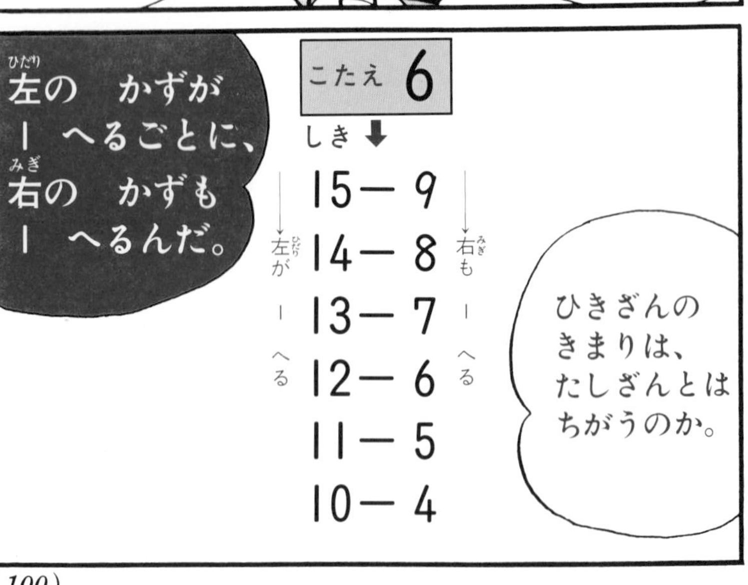
ひきざんの
きまりは、
たしざんとは
ちがうのか。
こたえ　6
しき
15ー 9
14ー 8
13ー 7
12ー 6
11ー 5
10ー 4
右も　１へる
左が　１へる
左の　かずが
１　へるごとに、
右の　かずも
１　へるんだ。

これは、りょうほうとも１ずつ　ふえているんだね。
こたえ　8
しき
12－4
13－5
14－6
15－7
16－8
17－9
左が１ふえる
右も１ふえる
たとえば、こういうばあいもある。

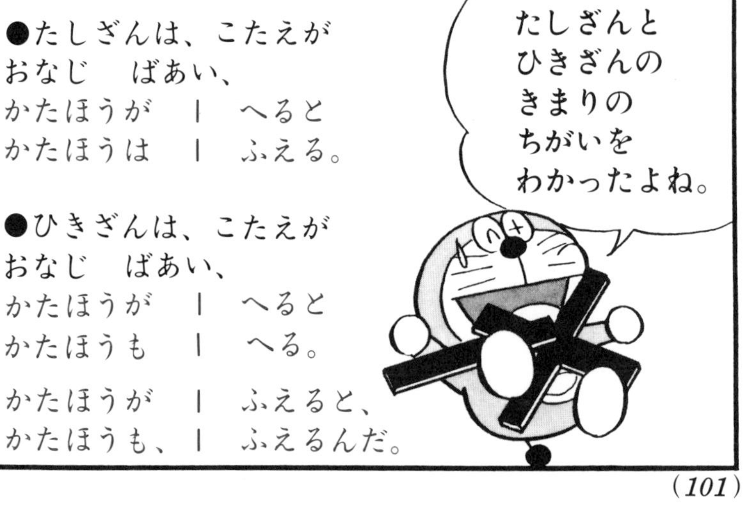
たしざんとひきざんのきまりのちがいをわかったよね。
●たしざんは、こたえが
おなじ　ばあい、
かたほうが　１　へると
かたほうは　１　ふえる。
●ひきざんは、こたえが
おなじ　ばあい、
かたほうが　１　へると
かたほうも　１　へる。
かたほうが　１　ふえると、
かたほうも、１　ふえるんだ。

1 □に かずを いれて ください。

こたえ

11	12	13	14	15	16	17	18
9＋2	9＋3	□＋4	9＋5	9＋6	9＋□	9＋8	9＋9
8＋□	8＋4	8＋5	8＋□	8＋7	8＋8	8＋□	
7＋4	□＋5	7＋□	7＋7	□＋8	7＋9		
□＋5	□＋6	6＋7	6＋8	6＋9			
5＋6	5＋7	5＋8	□＋9				
□＋7	4＋8	□＋9					
3＋□	3＋□						
2＋9							

たしざんの きまりを おもい出(だ)そう。

こたえ

2	3	4	5	6	7	8	9
11－9	11－□	11－7	11－6	11－□	□－4	11－3	□－2
	12－9	12－8	12－□	12－6	12－5	12－□	12－3
		□－9	13－8	13－7	13－□	13－5	13－□
			14－9	□－8	14－7	□－6	14－5
				15－9	15－8	15－7	15－6
					16－□	□－8	□－7
						17－9	17－8
							18－□

ひきざんの きまりは なんだっけ。

こたえは 218～223ページに あります。

■なんばんめ

ゲームがほしい！

●順番のたし算　ひき算

何番目という順番に関するたし算・ひき算ができる。

（留意点）「私は前から５番目（５人目）」とは自分も含めて前に５人（自分の前には４人）ということなど、よく理解させる。

すごい　人気で、早く　いかないと、うりきれちゃうんだ。

ほんとだ、まだ　おみせが　あいて　いないのに　ならんでる。

まえに　6人　いる、ぼくは　7ばんめ　だな。

もう　うしろに
4人(にん)　ならん
じゃった。

さて　もんだい。
いま　なん人(にん)
ならんでいるか？
こんな
とこで
さんすう
やらないでよ。
ぼくの　まえに
6人(にん)、
うしろに
4人(にん)だから。

6＋4で
10人(にん)！
ブーッ

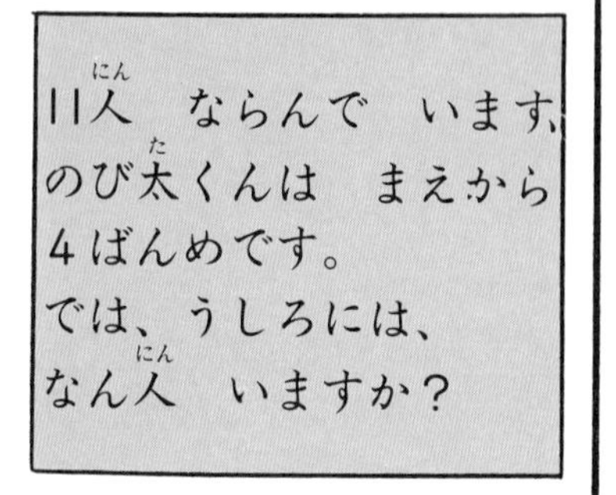

11人　ならんで　います。
のび太くんは　まえから
4ばんめです。
では、うしろには、
なん人　いますか？

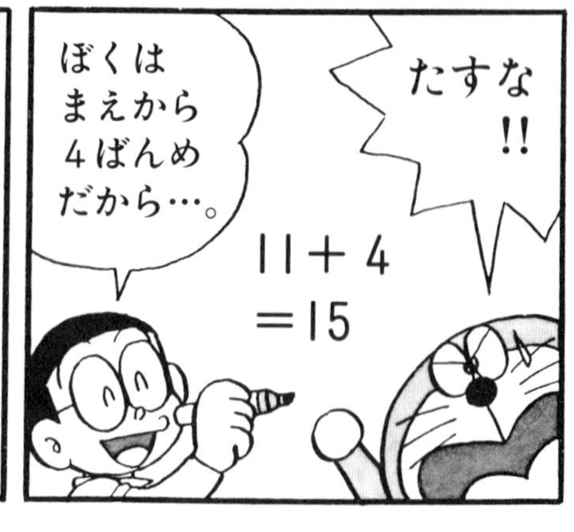

のび太
まえから　4ばんめまでを、ぬりつぶすと、わかりやすいよ、のこった　かずがうしろの人ずうになる。

もんだいを、よく　かんがえないから、たしざんかひきざんか、わからなくなるんだ。
こたえはこうなる。
11－4＝7
ひきざんか…。

よし！こんどはようくかんがえる！

ようし、これはたしざんだ。

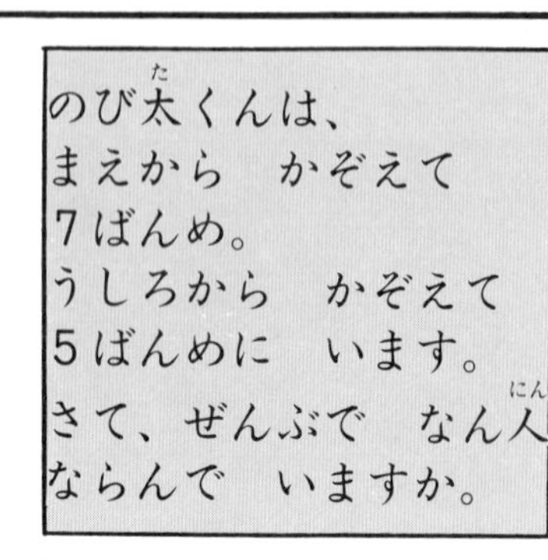
のび太くんは、
まえから　かぞえて
7ばんめ。
うしろから　かぞえて
5ばんめに　います。
さて、ぜんぶで　なん人
ならんで　いますか。

ブーッ

7＋5で12！

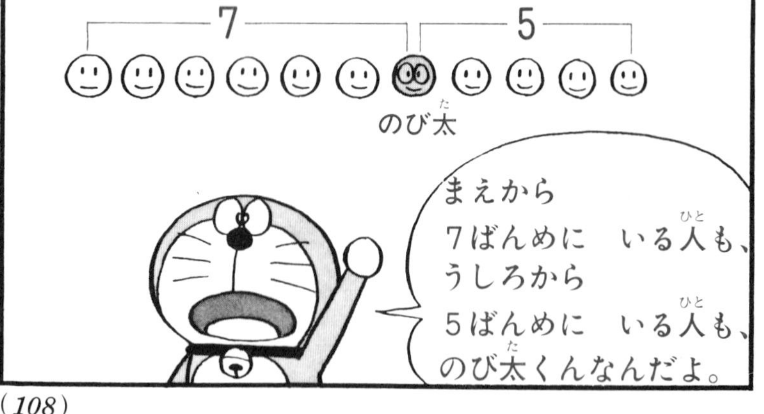
7
5
のび太
まえから　7ばんめに　いる人も、うしろから　5ばんめに　いる人も、のび太くんなんだよ。

そうか、ひとり　おおくかぞえていたんだから、１　へらさなきゃいけないんだ。
7＋5－1＝11
そのとおり！

これで、じゅんばんのけいさんがわかったぞ。

あれ？
ワイワイ

わあっ、いつの　まにか、れつからはみだしてた！

きょうは　もう
うりきれだよ。
そんなあ。

あした
入（はい）るから、
また　おいで。

のび太（た）くん、
かえろうよう。
いやだっ、
あしたまで
ここで
まつんだ！

れんしゅう しよう

1 えを みて こたえましょう。

① のび太は まえから □ ばんめ です。

② のび太の まえには □ 人 います。

③ のび太の うしろに まだ5人います。
のび太は うしろから □ ばんめ です。

2 しきと こたえを かきましょう。

① ぜんぶで 12人 います。あきらくんは、まえから 7ばんめです。うしろに なん人 いますか。

② しずかちゃんは 右から 8人め、左から 5人めです、みんなで なん人でしょう。

こたえは 218〜223ページに あります。

■2けた ＋ 1けた

シールをあつめる

●２桁＋１桁のたし算
繰り上がりのない２桁＋１桁のたし算、及び２桁＋(何十)のたし算ができる。
（留意点）例えば23＋５では、23を10が２つ、１が３つ集まった数であるという捉え方をして計算できるようにする。

やった！じゃ ぼくの シール 5まい やるよ。
この シール、ぼくのと こうかんして!!
いいよ、もう 1まい もってるから。
いままで あつめたのが 23まいで、5まい ふえたから …ええと。
もってた かず 23まい
ふえた かず 5まい
へへ、もうかっちゃった。
のび太くん、なに やってんの？
1・2・3・4…

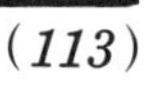

えっ、シールを
１まいずつ
かぞえてたの？

わわっ、
はなしかけるから、
わからなく
なっちゃったようっ。

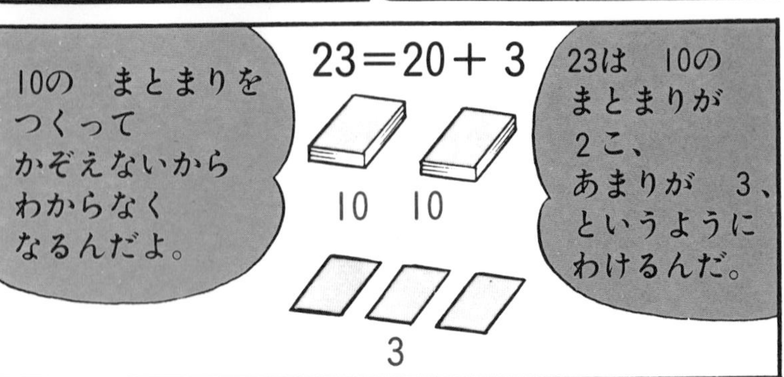
10の　まとまりを
つくって
かぞえないから
わからなく
なるんだよ。
23＝20＋３
10　10
3
23は　10の
まとまりが
２こ、
あまりが　３、
というように
わけるんだ。

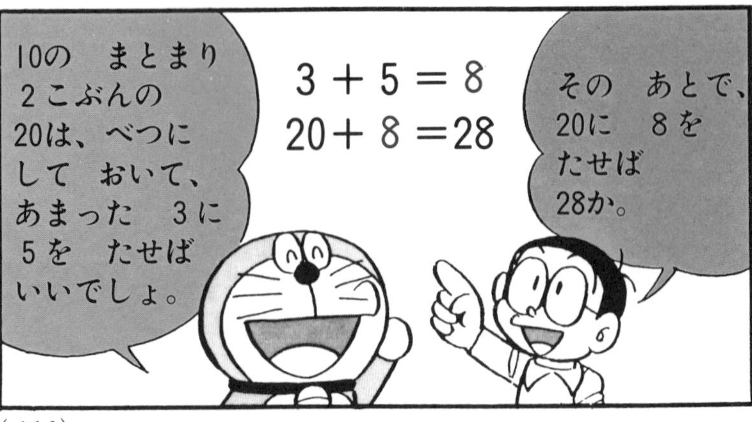
10の　まとまり
２こぶんの
20は、べつに
して　おいて、
あまった　３に
５を　たせば
いいでしょ。
3＋5＝8
20＋8＝28
その　あとで、
20に　８を
たせば
28か。

のび太(た)、よろこべ。
かいしゃのなかまから、キングマンシールを　もらってきて　やったぞ。
なんと、60まいもあるんだ。
10
10
10
10
10
10
わあいっ、28まいに、60まいもふえた！
これで、あわせてなんまいになるの？

10の　まとまりを、つくって　いけば いいんだってば！

でも、10で　なくても、7の　まとまりでもできるんじゃないかな！
7

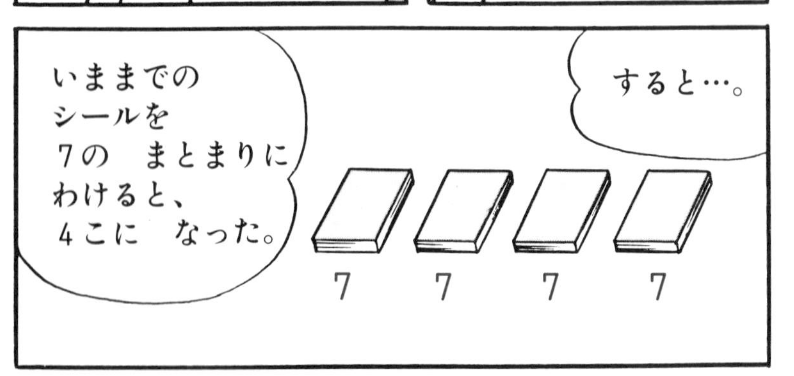
いままでのシールを7の　まとまりにわけると、4こに　なった。
するとⅴ。
7
7
7
7

よけいわからなくなった！
だから　10のまとまりがいちばん、わかりやすいっていってるのに。

とにかく　28まいに
60まいが　ふえた
わけだ。
60
28
まず、28は　10の
まとまりが　2こ、
あまりが　8に　なる。
10　10
8
28＝20＋ 8

8に
ふえた　60を
たして…
8 ＋60＝
どうして、そう
むずかしく
するんだ！
60は　10の　まとまりが
6こ　あるって
ことだから、
10の　まとまりどうしを
たせば　いいんだよ。
10の　まとまりが、
2と　6で
8に　なる。
つまり、80だね。
2 ＋ 6 ＝ 8
20
60
80

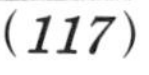

88まいだ、すごい！
80＋ 8 ＝88
それに、あまりの8を　たせば。

ばんざあい！

もうしらない！
また、バラバラになっちゃった。

■2けた － 1けた

ひきざんは くやしいぞ！

●2桁－1桁のひき算

繰り下がりのない2桁－1桁または2桁－(何十)のひき算ができる。

(留意点) 例えば27－3の場合27を10が2、1が7集まった数という捉え方ができるようにする。60－20では十の位の数に着目して計算させる。

そうか、それなら
おれが　すこし
もらって　やろう。
ガーン

それで　50まいも
とられたの？

88まい　あったのに、
50まい　とられたら、
のこりは。

のこりは
なんまいだっけ？

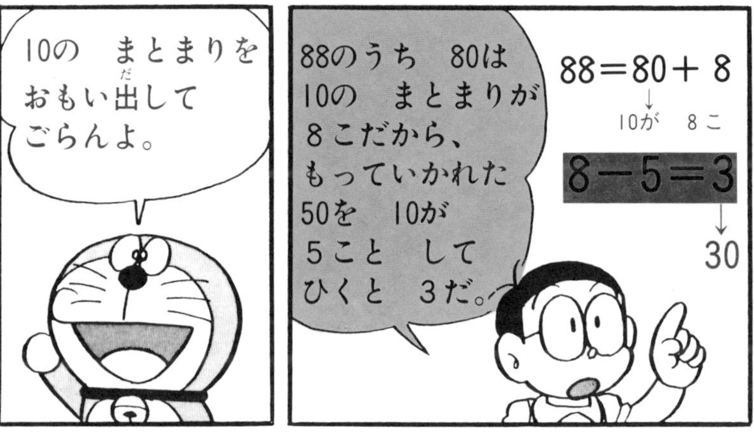
10の　まとまりを　おもい出して　ごらんよ。
88のうち　80は　10の　まとまりが　8こだから、もっていかれた　50を　10が　5こと　して　ひくと　3だ。
88＝80＋8
10が　8こ
8－5＝3
30

こたえ　3。つまり　10の　まとまりが　3こで　30。それに　あまった　8を　たせば　38だ。
30＋8＝38
88の　のこりの　8
その　とおり！

38まいしか　のこって　ないのか。もう　ぼくの　人生も　おわりだ。

はげまして
やって。

きれいな
シールね。

38まいも、
もってるなんて
うらやましいわ。
そ、そうか
なあ。

しずちゃんに、
すきなの
あげるよ。

うれしい、
3まい　もらって
いくわね。

という　わけで、
38まいから　3まい
あげたから。

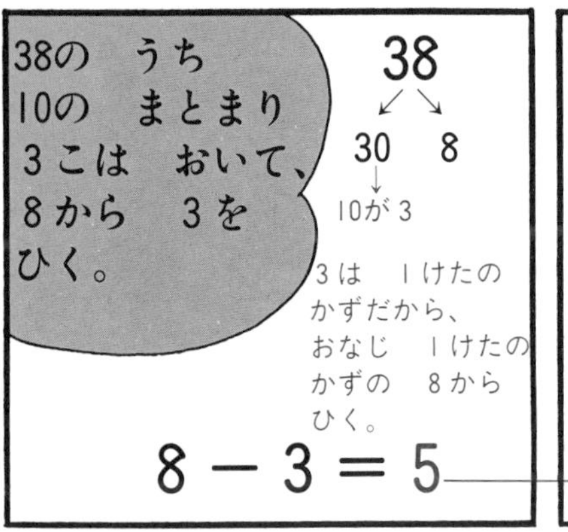
38の　うち
10の　まとまり
3こは　おいて、
8から　3を
ひく。
38
30　8
10が3
3は　1けたの
かずだから、
おなじ　1けたの
かずの　8から
ひく。
8 − 3 ＝ 5

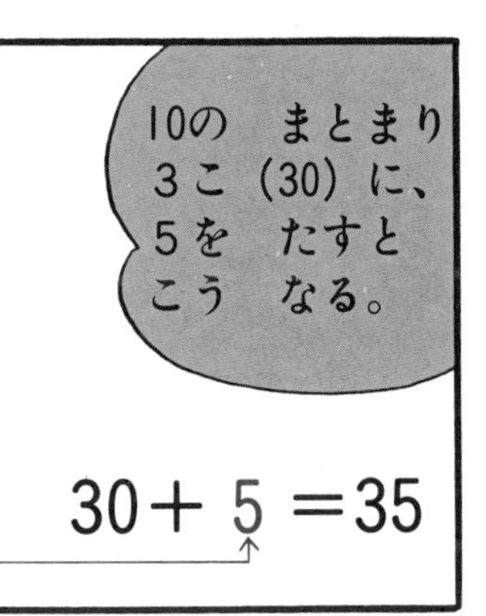
10の　まとまり
3こ（30）に、
5を　たすと
こう　なる。
30＋ 5 ＝35

まだ　35まいも
のこってるぞ！
みんなに
じまんして
こよう。
げん気に
なった。

ジャイアンに
ぜんぶ とられた！

1 □に かずを かきましょう。

① 56と いう かずは 10が □つと、1が □つ あつまった かずです。

2 けいさんを しましょう。

①	54 ＋ 3 ＝	②	83 ＋ 4 ＝
③	43 ＋ 5 ＝	④	26 ＋ 2 ＝
⑤	7 ＋ 12 ＝	⑥	6 ＋ 13 ＝
⑦	4 ＋ 35 ＝	⑧	5 ＋ 91 ＝
⑨	33 ＋ 40 ＝	⑩	67 ＋ 30 ＝
⑪	80 ＋ 15 ＝	⑫	70 ＋ 20 ＝
⑬	73 － 2 ＝	⑭	49 － 6 ＝
⑮	18 － 5 ＝	⑯	88 － 3 ＝
⑰	51 － 20 ＝	⑱	94 － 50 ＝
⑲	47 － 30 ＝	⑳	50 － 20 ＝

こたえは 218〜223ページに あります。

■もんだい　つくり

ドラえもんが いなくなる

●作問
たし算の式を見て、この式にあう問題を作ることができるようになる。
（留意点）最初はなかなか作れない。絵を与えたり、ヒントを与えるなりして作らせるとよい。

のび太(た)くん、
はいっ、これ！

2＋3

ドボン！
もんだいに なってなあい!!

こんな　ことじゃ、あんしん　して みらいに かえれない。
ええっ!?

ぼくの　からだに、わるい　ところが ないか、みらいで しらべて　もらうんだ。

どうして、かえっちゃうの!?

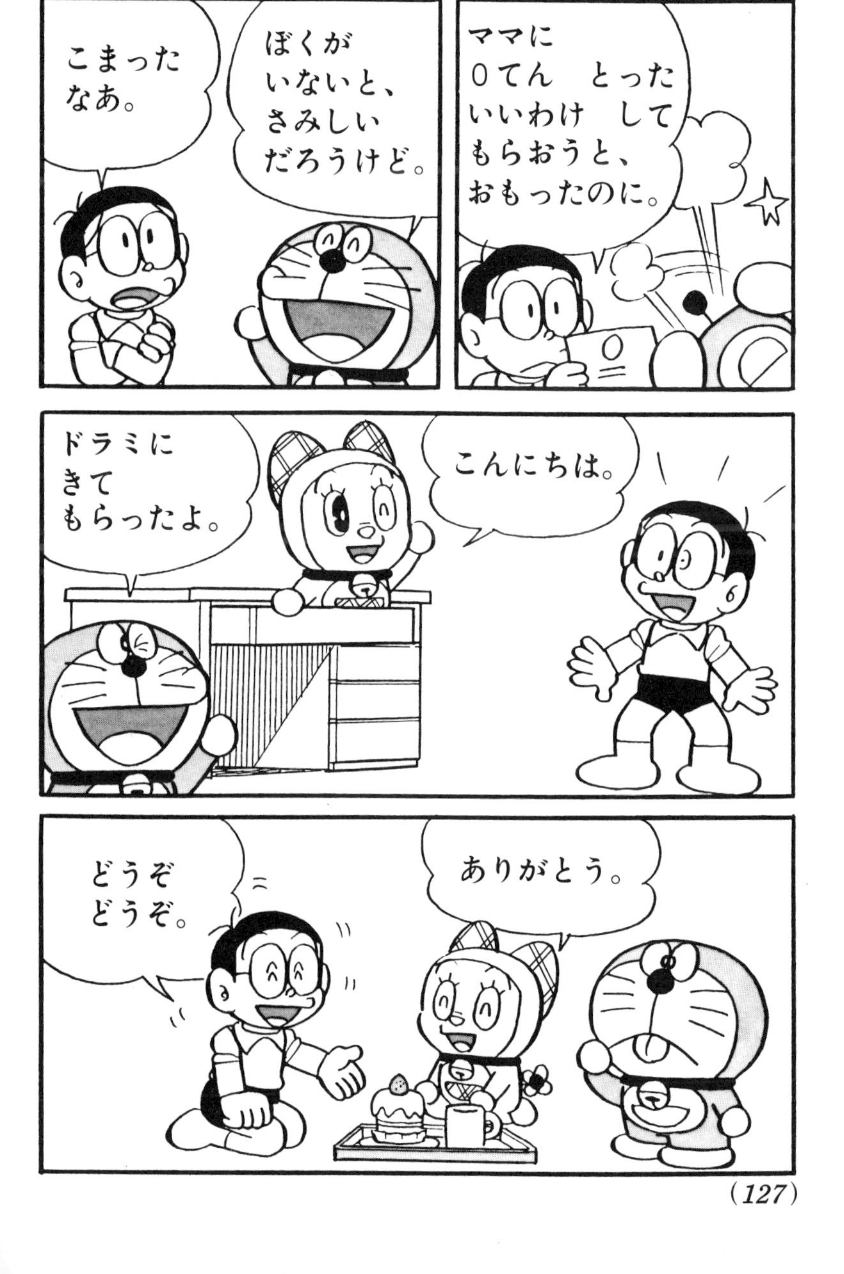
ママに
0てん　とった
いいわけ　して
もらおうと、
おもったのに。
ぼくが
いないと、
さみしい
だろうけど。
こまった
なあ。
こんにちは。
ドラミに
きて
もらったよ。
ありがとう。
どうぞ
どうぞ。

それじゃ　のび太くん、
ぼく、いくよ！
うん、
わかった。
あとは、
ドラミが、
うまく　やって
くれるだろう。
ま、いいか。
そうなの、
さんすうの
もんだいが、
わからないの。
さんすう
……。
えっ、
しゅくだい？

そ、そうかっ、
ぼくは　さんすうが
とくいなんだ。
ワハハ

おにいちゃんが
のび太さんに
おしえて
もらえって。

つぎの　えと
しきを　みて
もんだいを
つくりましょう。
2＋3＝
なんだ、
さっきと
おなじだ。

とりが　５わ
いました　マル
グワッ
グワッ
ばさっ
ばさっ

どこが？
ちょっと
ちがうんじゃ
ないかなぁ。

いけの　中には
あひるが　2わ　います。
いけの　そとには、
3わ　います、さて
あひるは　ぜんぶで
なんわ　いますか。
2＋3＝□
このばあいは、

なるほど、
メモして　おこう。
という　かんじじゃ
ないかしら。

つぎは、
この　もんだいが、
わからないの。
ふんふん。

7 − 2 ＝
みぎの　しきと
えを　見て、
もんだいを
つくって
ください。

ドーナツが
7こ　あります。
うん
うん。

ぜんぶ　たべたら、おなかが　いたくなるので、気(き)を　つけよう。
ずでんっ

この　ほうが、いいと　おもうんだけど。
ドーナツが　７こ
あります。
２こ　たべたら、
のこりは　いくつに
なりますか。
７－２＝

のび太(た)さん、こんどはこの　もんだい。
ええと、ええと。
こうじゃないの？
あっ、そうか。

■＋？　－？　どっちかな

ドラミ先生はきびしい！

●演算決定
たし算になる問題、ひき算になる問題を判断できる。
（留意点）問題の意味をよく理解し、＋か－を判断させる。なぜたし算か、またはひき算かを言えるようにするとよい。

ねこが　3びき　います、
あとから　2ひき
やってきました。さて、
ねこは　ぜんぶで
なんびきですか。
これを　しきに
するの。

はじめは　3びきで、
あとから　2ひき
ふえた　わけだから。
3＋2＝5
こうだね。

えっへん！
つぎを
どうぞ。
わっ、
のび太さん
すごい！

かめを　５ひき
かって　いました。
ところが、
２ひき　にげて
しまいました。
かめは　なんびき
のこって　いますか。

はじめに　５ひきで、
つぎに　２ひきだから、
ぜんぶで　７ひき！
5 ＋ 2 ＝ 7

5 ＋ 2 ＝ 7
ちがうよ。
え!?

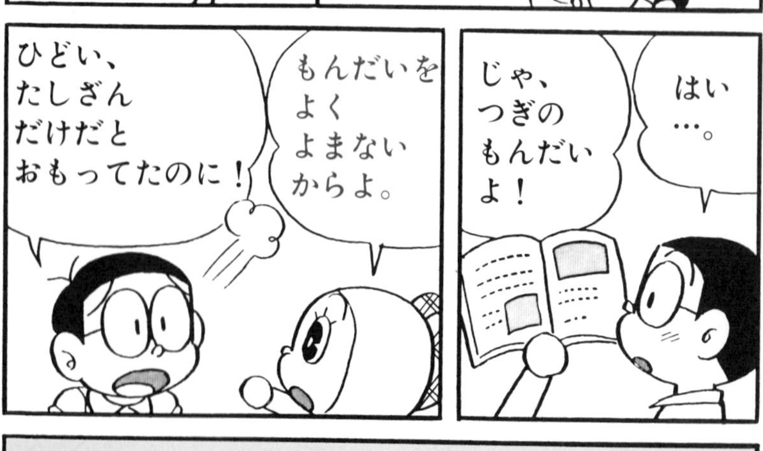

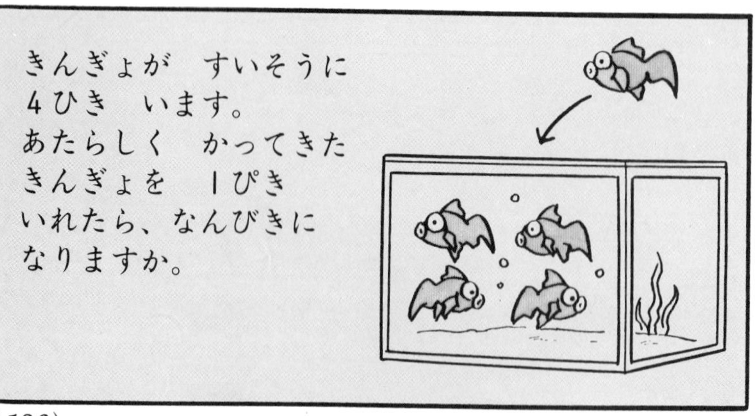

きんぎょが　すいそうに
4ひき　います。
あたらしく　かってきた
きんぎょを　1ぴき
いれたら、なんびきに
なりますか。

4－1＝3
こ、こうかなだめ？

1ぴき　ふえたんだからたしざんでしょ！
4＋1＝5
はい…。

どうしてわからないの!?
んんと……。
このもんだいは？
ふええっ。

アフリカけいさんりょこう

●２桁＋２桁のたし算

24＋15のように繰り上がりのないたし算が筆算でできる。

（留意点）10のまとまりと、１のばらを、具体物で表して計算させる。次に具体的な数字で表し、位ごとに計算させる。

ずいぶんと
しぼられた
ようだね。
え？
うそなの
ごめんね。
じゃ、ぼくが
ドラミちゃんを
おしえるって
いうのは…。
ぼくが　ドラミに
のび太くんの
さんすうの　とっくんを
たのんだんだ。
そうでも　しないと、
べんきょう　しない
だろ。
ひどい！

ねえ、きげん　なおしてよ。
ドラえもんとはもう　口(くち)をきかない！
おわびに、アフリカへ　つれていって　あげようと、おもったんだけど…。
え？アフリカ？
ざんねんだなあ。
しかた　ない、つきあってやろう。

わあいっ、アフリカだ!!
ぞうがたくさんいるね。

ぞうが、水(みず)あびしてる。
24とうもいるよ。

こっちはひなたぼっこしてるね。
15とうだ。

ここで　もんだい。ぜんぶで　なんとういるか？
24＋15＝

こんな たくさんの
かずの たしざん
できない！
24＋15
ここまで きて、
さんすう
やるの!?

くらいって
なに？
くらいを そろえて
けいさん すれば
かんたんだよ。

24
10の
まとまりが
2つ できて、
4 あまった。
たとえば、24で
10の まとまりを
つくってごらん。
10
10
4

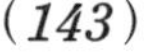

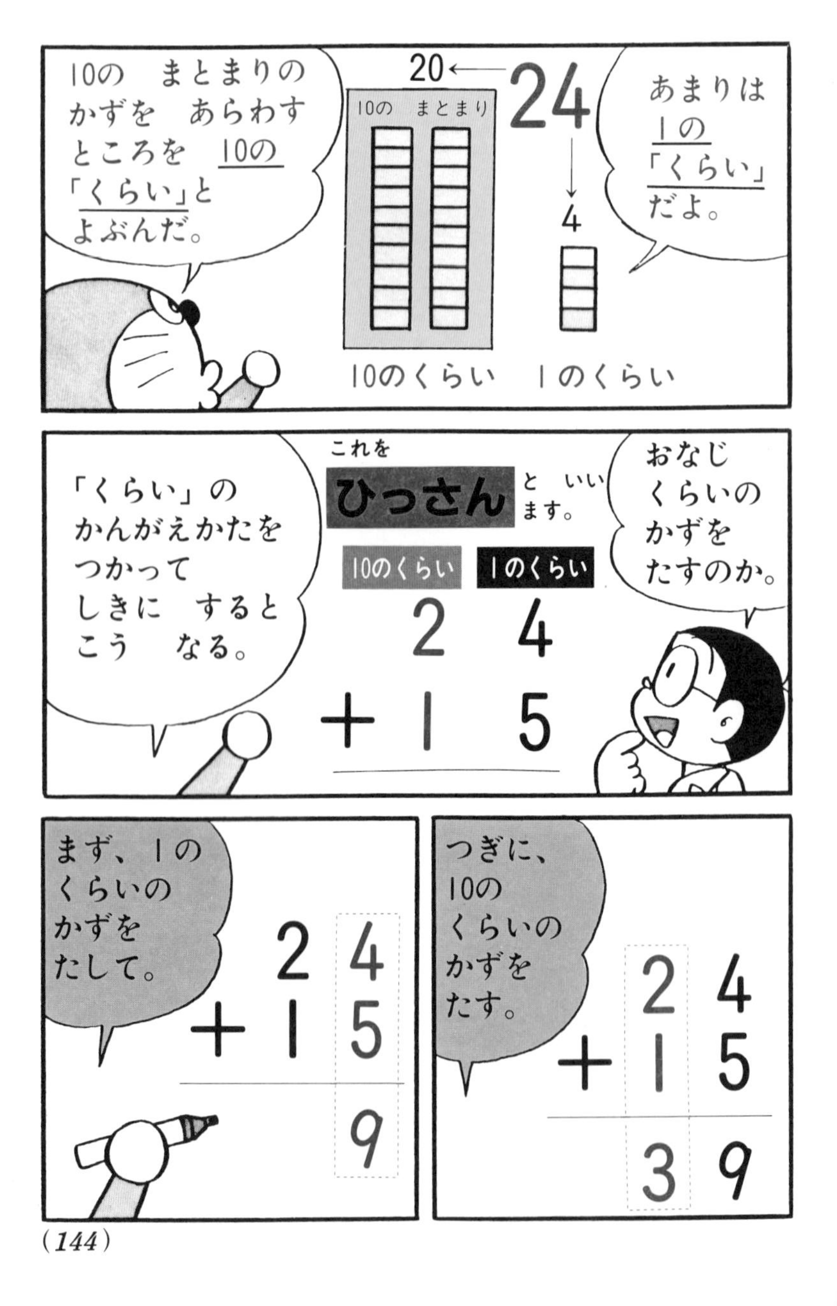
あまりは　1の「くらい」だよ。
10の　まとまりの　かずを　あらわす　ところを　10の「くらい」と　よぶんだ。
24
20
4
10の　まとまり
10のくらい
1のくらい
おなじ　くらいの　かずを　たすのか。
これを　ひっさん　と　いいます。
「くらい」の　かんがえかたを　つかって　しきに　すると　こう　なる。
10のくらい
1のくらい
2 4
+1 5
まず、1の　くらいの　かずを　たして。
2 4
+1 5
9
つぎに、10の　くらいの　かずを　たす。
2 4
+1 5
3 9

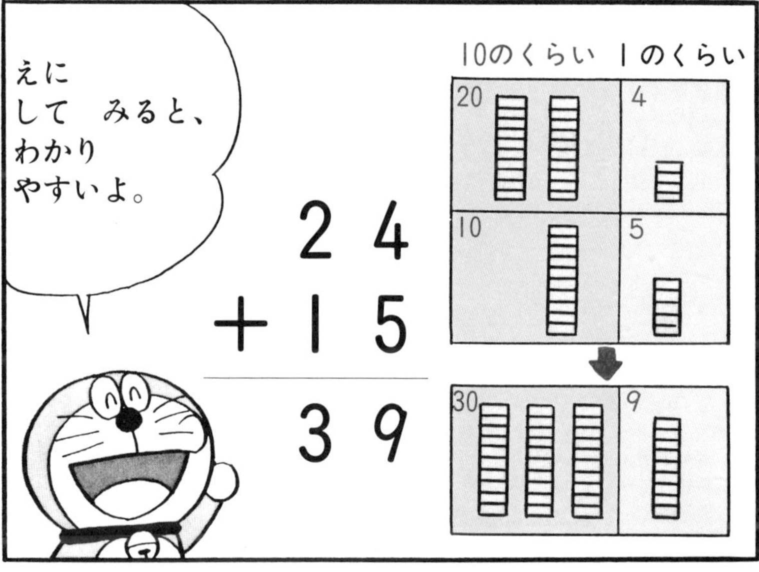
えに
して　みると、
わかり
やすいよ。
24
+15
39
10のくらい　1のくらい
20
4
10
5
30
9

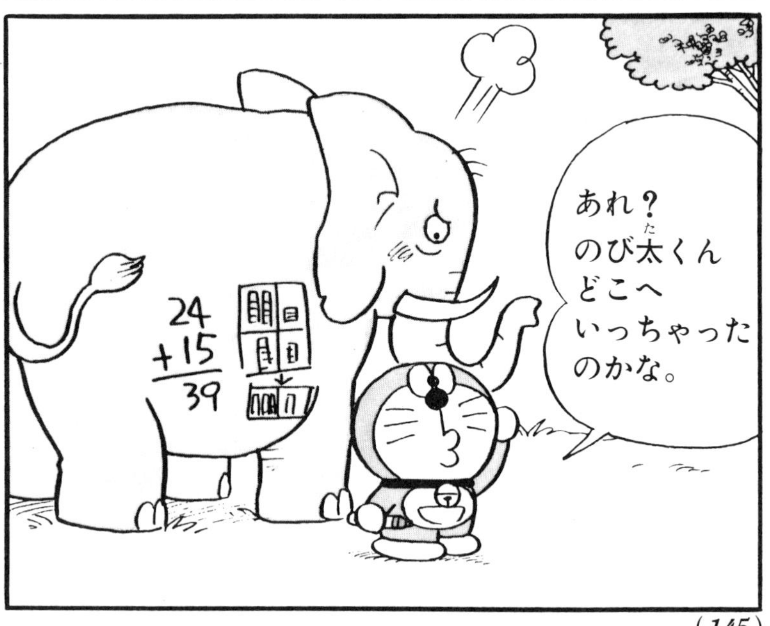
あれ？
のび太くん
どこへ
いっちゃった
のかな。
24
+15
39

れんしゅう しよう

1 たしざんを しましょう。

① $\begin{array}{r} 23 \\ +\ 45 \\ \hline \end{array}$

② $\begin{array}{r} 54 \\ +\ 33 \\ \hline \end{array}$

③ $\begin{array}{r} 16 \\ +\ 62 \\ \hline \end{array}$

④ $\begin{array}{r} 82 \\ +\ 17 \\ \hline \end{array}$

⑤ $\begin{array}{r} 43 \\ +\ 31 \\ \hline \end{array}$

⑥ $\begin{array}{r} 35 \\ +\ 24 \\ \hline \end{array}$

⑦ $\begin{array}{r} 78 \\ +\ 11 \\ \hline \end{array}$

⑧ $\begin{array}{r} 23 \\ +\ 74 \\ \hline \end{array}$

2 たしざんを ひっさんで しましょう。

①24 ＋ 43 ＝

$\begin{array}{r} 24 \\ +\ 43 \\ \hline \end{array}$

②51 ＋ 26 ＝

$\begin{array}{r} \\ +\ \\ \hline \end{array}$

③45 ＋ 32＝

④26 ＋ 53 ＝

⑤27 ＋ 12＝

⑥84 ＋ 14 ＝

こたえは 218〜223ページに あります。

■2けた ＋ 2けた ②

●2桁＋2桁のたし算
28＋47のように、繰り上がりのある2桁＋2桁のたし算が、筆算でできる。
（留意点）繰り上がりをわすれるつまずきが多いので注意させる。位をそろえて、きちんと書くことがたいせつである。

ペリカンが、
28わで、
フラミンゴが
47わ　いたよ。
28＋47＝
ぜんぶで
なんわに
なるかだね。

まず、
おなじ「くらい」の
かず　どうしを
あわせる。
10の　くらい
1の　くらい
28
＋47
10の　くらい
1の　くらい

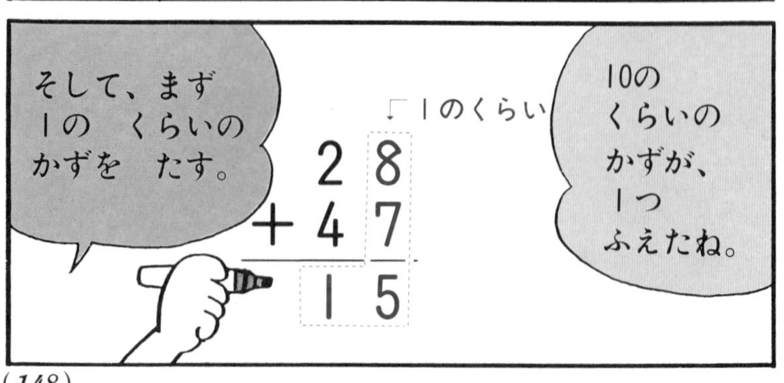
そして、まず
1の　くらいの
かずを　たす。
1のくらい
28
＋47
15
10の
くらいの
かずが、
1つ
ふえたね。

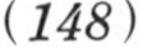

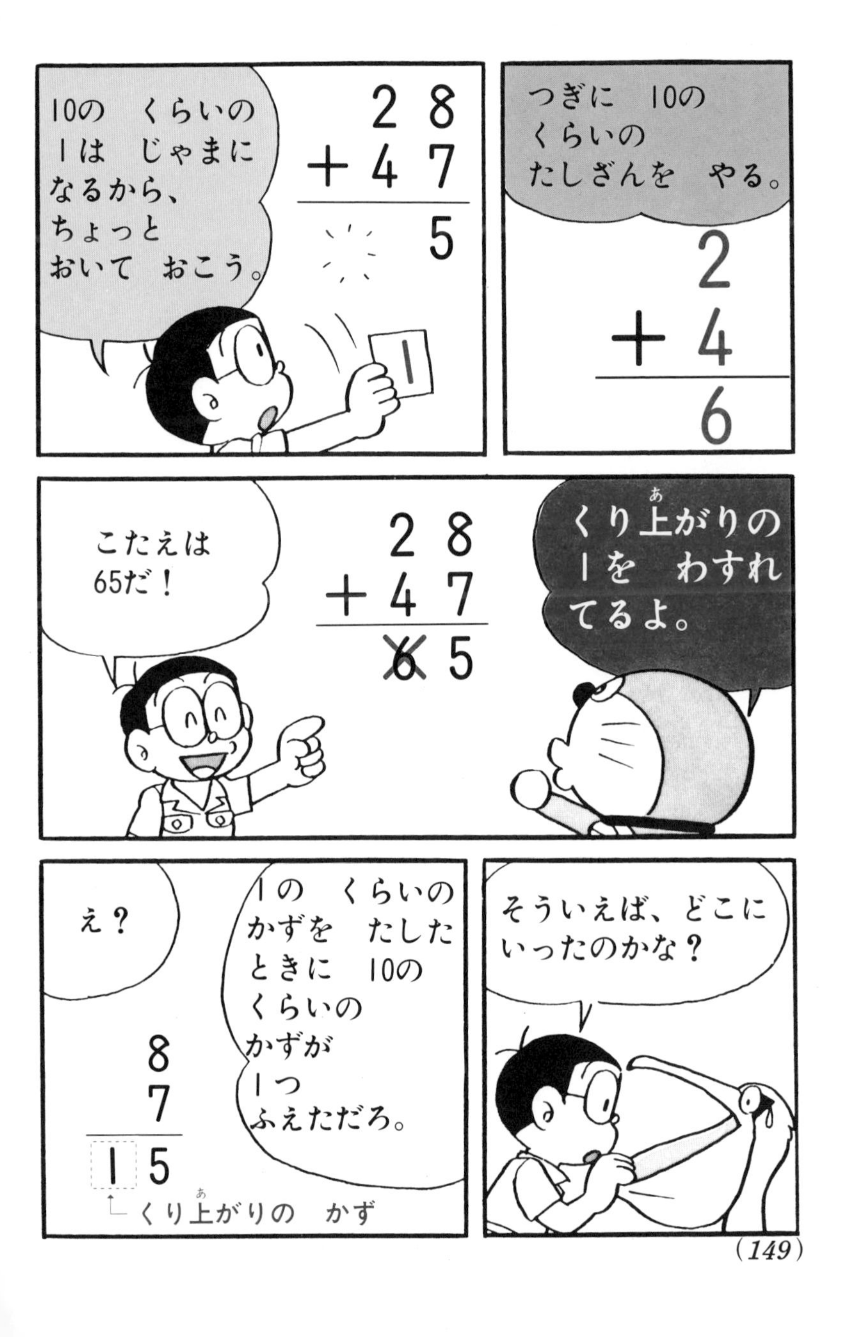

10の　くらいの
1は　じゃまに
なるから、
ちょっと
おいて　おこう。
28
+47
5
1
つぎに　10の
くらいの
たしざんを　やる。
2
+4
6
こたえは
65だ！
28
+47
65
くり上がりの
1を　わすれ
てるよ。
え？
1の　くらいの
かずを　たした
ときに　10の
くらいの
かずが
1つ
ふえただろ。
8
7
15
くり上がりの　かず
そういえば、どこに
いったのかな？

ごまかしちゃだめ、わすれたんだろ。
小さく かいて おけば、わすれないよ。
28
＋47
5
わすれない ように 小さく かいて おく。

そうか、それから 10の くらいの かずを、けいさん して、
28
＋47
65
1
75
小さく かいて おいた かずを たせば いいんだ。

さて もういちど ちがう もんだいで おさらいして みよう。
36＋18＝

たてのしきにして、
36
+ 18

できた！
36
+ 18
378

のび太くん、くらいがずれてる。
いけない。
36
+ 18
378
どうして 18が 100の くらいまで いっちゃうんだよ!!
36
+18

36
+18
54
ちょっと
ちがうだけ
じゃないか。
さんすうは、
ちょっと
ちがったら、
ぜんぶ
ちがって
くるんだよ。
くらいは
きちんと
そろえて
かこう！

なるほど、
フラミンゴも
ちょっと
ちがえば、
おうむに
なるなあ。
それは
のび太くんの
えが へたな
だけだ。

れんしゅう しよう

1 たしざんを しましょう。

① $$\begin{array}{r} 57 \\ +\ 38 \\ \hline \end{array}$$

② $$\begin{array}{r} 47 \\ +\ 35 \\ \hline \end{array}$$

③ $$\begin{array}{r} 15 \\ +\ 38 \\ \hline \end{array}$$

④ $$\begin{array}{r} 65 \\ +\ 26 \\ \hline \end{array}$$

⑤ $$\begin{array}{r} 32 \\ +\ 59 \\ \hline \end{array}$$

⑥ $$\begin{array}{r} 34 \\ +\ 58 \\ \hline \end{array}$$

⑦ $$\begin{array}{r} 21 \\ +\ 49 \\ \hline \end{array}$$

⑧ $$\begin{array}{r} 28 \\ +\ 43 \\ \hline \end{array}$$

2 たしざんを ひっさんで しましょう。

① $56 + 39 =$

$$\begin{array}{r} 56 \\ +\ 39 \\ \hline \end{array}$$

② $35 + 48 =$

③ $23 + 28 =$

④ $77 + 54 =$

⑤ $68 + 59 =$

⑥ $29 + 79 =$

こたえは　218〜223ページに　あります。

■2けた － 2けた

●2桁－2桁のひき算

37－12（繰り下がりなし）や34－18（繰り下がりあり）のような2桁－2桁の筆算ができる。

（留意点）十の位からの繰り下がりを忘れたり、34－18の場合1桁の計算を8－4と逆にする誤りなどがあるので注意する。

あの　さる、いじめられてる。

のび太くんそっくり。

ドラえもん、たすけてやってよ。

「どうぶつへんしんビスケット」！

ゴリラにへんしんできるよ。

ガオウ！

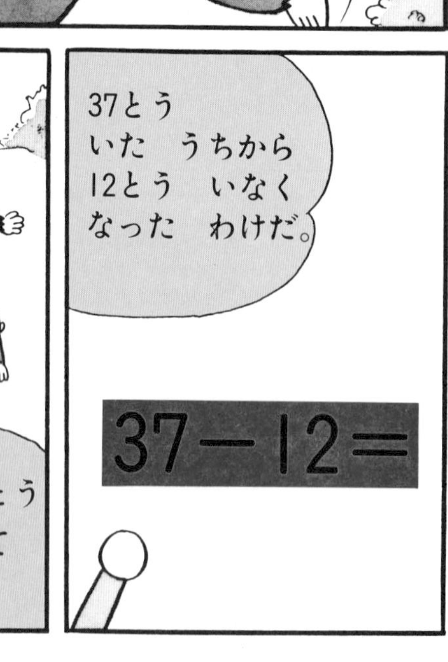
37とう いた うちから 12とう いなく なった わけだ。
37－12＝

やった！ いじめっこの さるが、なかまと いっしょに にげて いくぞ。
ぜんぶで 12とう むれから 出て いったね。

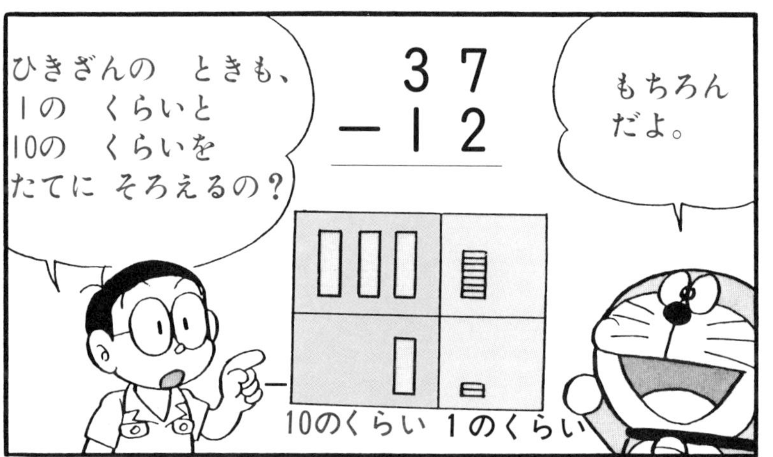
ひきざんの ときも、
1の くらいと
10の くらいを
たてに そろえるの？
37
−12
もちろん
だよ。
10のくらい
1のくらい

10のくらい
1のくらい
37
から
12
を とると
25
37
−12
25
こう なる
ね。
よく
でき
ました。

いんこの
むれだ、
きれいだね。

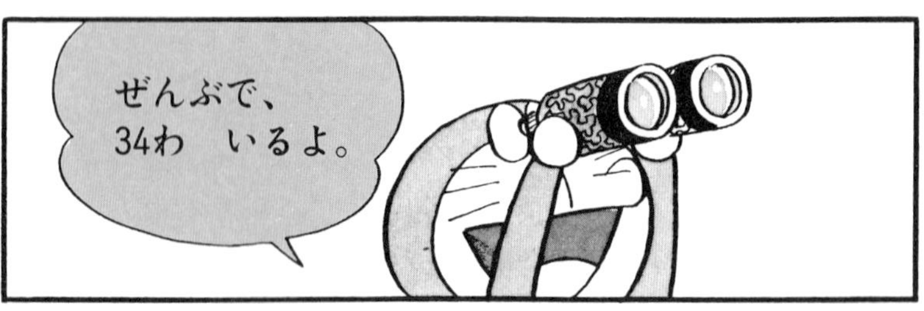
ぜんぶで、
34わ　いるよ。

もっと
ちかづいて、
よく　見よう。

バサ
バサ
ありゃ。

にげちゃった。
のび太くんがちかづいたからだよ。

でも、18わがのこってる。
チチチ
ピピピ
さて、にげたいんこはなんわかな？
34－18＝

あれ？
4から　8は
ひけないぞ
34
−18
8からなら
4は　ひける
な。
34
−18
4

ブーッ
34
−18
24
それに 10の くらいの
3から 1を ひいて、
こうなる。

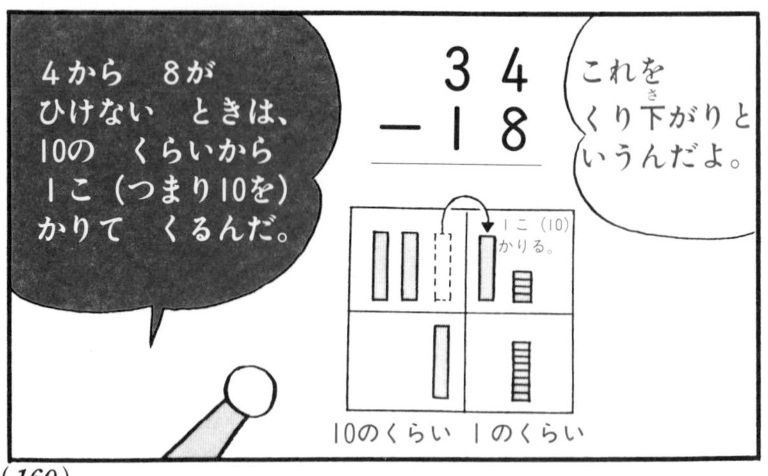
これを
くり下がりと
いうんだよ。
34
−18
4から　8が
ひけない　ときは、
10の　くらいから
1こ（つまり10を）
かりて　くるんだ。
1こ（10）
かりる。
10のくらい
1のくらい

それじゃ
14から 8を
ひけば
いいんだ。
3を
1と 2に
わける
1のくらいは
6だね
そして、
3から 1を
ひけば いいん
だね。
ブッブー
10の くらいから、
1こ くり下がったのを
わすれちゃ
いけないよ。
1こ（10） うつした。
10のくらい 1のくらい

つぎは
この
もんだい。
52
－27
こんなにかずが
大(おお)きいのは、
むずかしいよ。
やりかたは
おなじだよ。

52
－27
52
27
40に なる
12に なる
2から 7は
ひけないから
10の くらいから
1つ かりてくる。

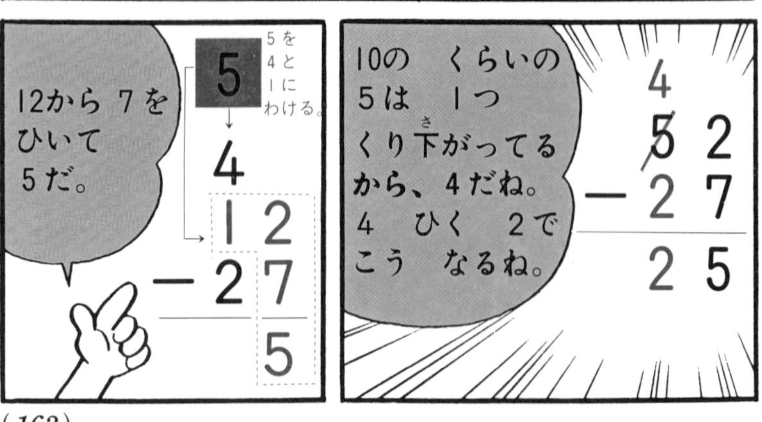

12から 7を
ひいて
5だ。
5
5を
4と
1に
わける。
4
12
－27
5
10の くらいの
5は 1つ
くり下(さ)がってる
から、4だね。
4 ひく 2で
こう なるね。
4
5̸2
－27
25

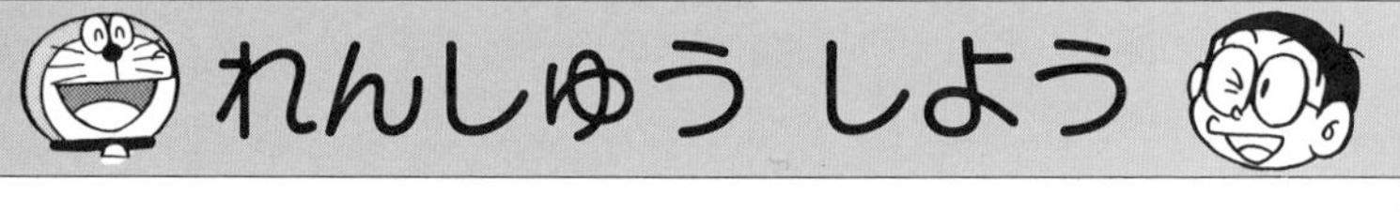

れんしゅう しよう

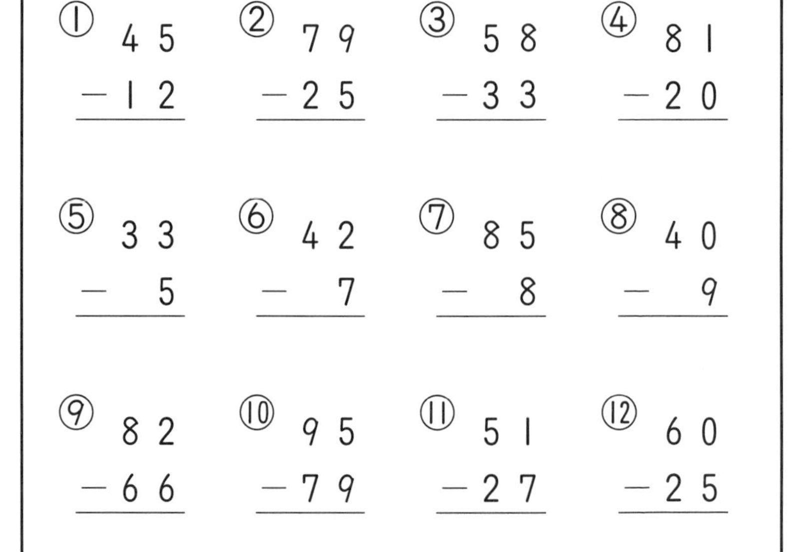

1　ひきざんを　しましょう

① 45 − 12

② 79 − 25

③ 58 − 33

④ 81 − 20

⑤ 33 − 5

⑥ 42 − 7

⑦ 85 − 8

⑧ 40 − 9

⑨ 82 − 66

⑩ 95 − 79

⑪ 51 − 27

⑫ 60 − 25

こたえは　218〜223ページに　あります。

2 ひきざんを ひっさんで しましょう。

① 75－13＝　　② 37－14＝

③ 99－35＝　　④ 78－23＝

①　②　③　④

⑤ 72－ 7 ＝　　⑥ 45－ 8 ＝

⑦ 31－ 5 ＝　　⑧ 86－ 9 ＝

⑤　⑥　⑦　⑧

⑨ 97－68＝　　⑩ 55－28＝

⑪ 41－35＝　　⑫ 83－37＝

⑬ 36－18＝　　⑭ 30－13＝

⑨　⑩　⑪　⑫

⑬　⑭

こたえは 218～223ページに あります。

■なん百の　けいさん

かえってきて お年玉

●(何百)±(何百)の計算
200＋30とか、500＋300のような計算ができる。
(留意点) 数が大きくなってもこれまでと同じように計算できること、さらには、50±30も、500±300も5±3のように簡単に計算できることに気づかせる。

そんな
めんどくさい
こと　しなくて
いいんだよ。
300
+500
00
10の　くらいも
0で、

100の　くらい
だけ　たせば、
かんたん
じゃないか。
3
+5
800
1の　くらいも、
10の　くらいも、
0だって　こと
わかってるん
だから。

のび太くん、
お年玉
だよ。
ありがとう、
おじさん！

+
そうか、100円玉の
かずの　たしざんと
おなじだね。

500円入ってた。
800
＋500
さっきのお年玉とあわせるといくら？

8と　5をたせばいいんだね。
8
＋5
13

8
＋5
13000
うわあ！ぼくは、大金もちだ！

0が　1つおおいよ。
8
＋5
13000
1300円か。
いってきまあす。

おじさんから
もらった
500円で、
なにか
かいに いこう。

ジュースは
100円か。

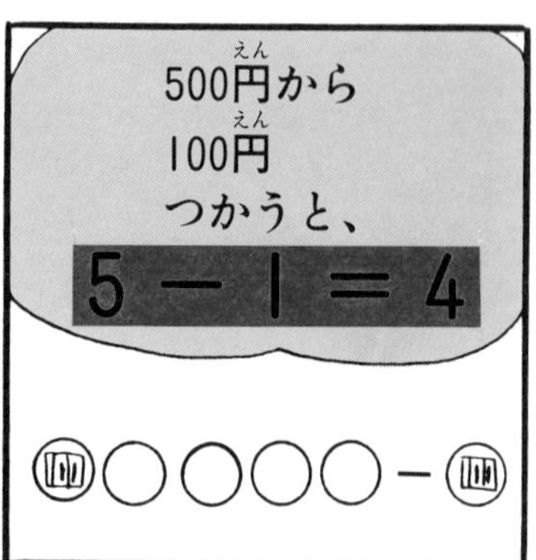
500円から
100円
つかうと、
5 − 1 = 4

100が
4こだから、
のこりは
400円だな。
どうし
よう？

100円玉の、
おもてが
出たら
かう！

チャリーン

わあっ!!
チャポーン

タイムマシンで もどって、もう 一ど お年だま もらって やる。

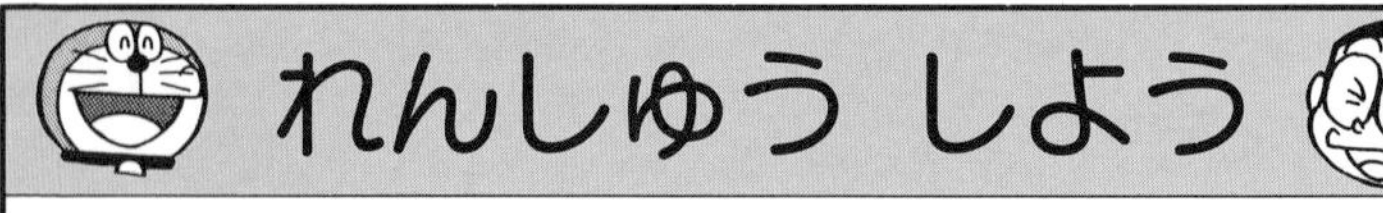

れんしゅう しよう

1 □に かずを いれましょう。

200＋500の　けいさんでは、200 は 100が□こ、500は　100が□こと　かんがえます。2＋5＝7だから、100が□こで、たしざんの　こたえは□となります。

2 けいさんを しましょう。

①	300＋200＝	②	500＋400＝
③	700＋200＝	④	400＋300＝
⑤	300＋80＝	⑥	50＋900＝
⑦	200＋5＝	⑧	8＋500＝
⑨	300＋700＝	⑩	200＋800＝
⑪	500＋600＝	⑫	800＋500＝
⑬	200＋80＋5＝		
⑭	500＋20＋9＝		

こたえは　218〜223ページに　あります。

■3けたの　けいさん

おこづかい いくらかな？

●３桁＋３桁のたし算

325＋334、144＋95のような３桁＋３桁、３桁＋２桁の計算が、筆算でできる。

（留意点）数が百の位まで及んでも、計算の仕方はこれまでと同じであることに着目させる。繰り上がりにつまずきが多いので注意。

先月までの
おこづかいが、
144円　のこってて、
今月　おつかいで、
95円もらったの。
144＋95＝

じゅんじゅんに
けいさん　して、
いけば　いいん
だよ。
144
＋ 95
9
まずは、
1の くらい
から。

つぎに、
10の くらいで
13だから、
1 くり上がる。
144
＋ 95
39

できた！
バツ！
144
＋ 95
39

くり上がりを、わすれてるよ。
1 くり上がる
144
+ 95
239
ここに 小さく くり上がる かずを かいて おくと わすれないよ。
そうか、100のくらいは、2に なるんだ。

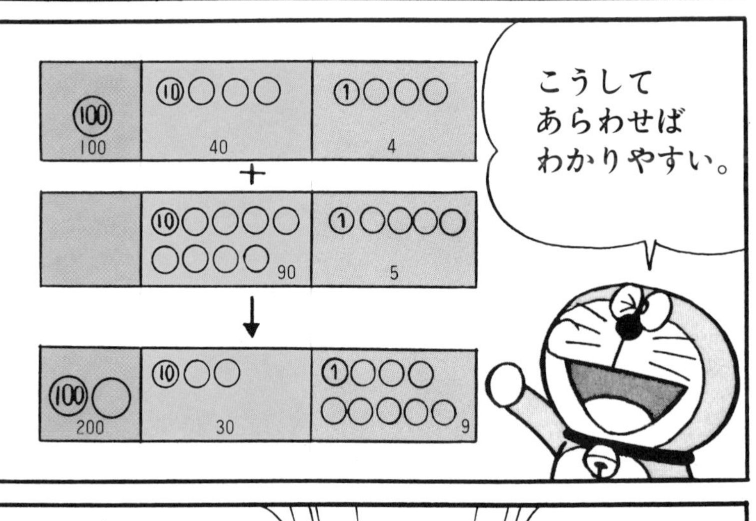

100
40
4
+
90
5
200
30
9
こうして あらわせば わかりやすい。

とにかく、くり上がりに気を つけて やれば、どんな 大きな かずでも、
けいさんの しかたは、おなじだよ。

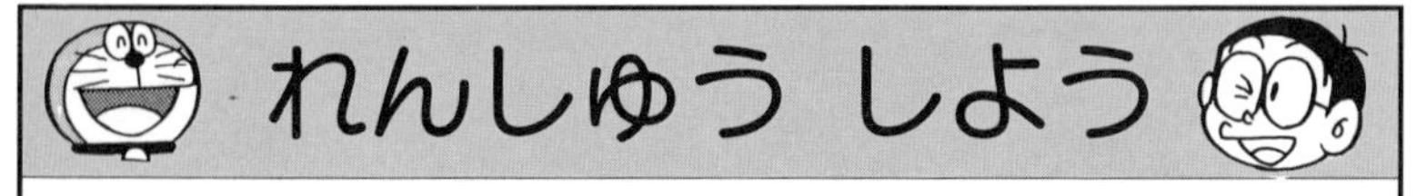

れんしゅう しよう

1 □に かずを いれましょう。

325＋296のけいさんは

①	②	③
325 ＋296 = □	325 ＋296 = □□	325 ＋296 = □□□
5＋6＝11で □くりあがる。	2＋9＝11にくり上がった□をたし12で□くり上がる。	3＋2＝5にくり上がった□をたして□になる。

2 たしさんを しましょう。

① 325＋53　② 632＋27　③ 453＋76　④ 368＋25

⑤ 242＋435　⑥ 854＋124　⑦ 593＋265　⑧ 377＋452

⑨ 597＋215　⑩ 624＋298　⑪ 388＋622　⑫ 953＋399

こたえは 218〜223ページに あります。

のび太はお金もち

● 3 桁－ 3 桁のひき算

465－342、437－59などのように 3 桁－ 3 桁、 3 桁－ 2 桁（繰り下がりあり）の計算が筆算でできる。

（留意点）繰り下がりがあることを忘れることが多い。ノートにきちんと書く習慣をつけさせる。

じつは、ドラやきをかうのに　お金が足りないんだ。

どうしたの？
さすがのび太くん、えらいなあ。

いやだようだ。
おねがい、すこし かして！

ママに、この　テストを見せて　くる。
わあっ、かしてやる!!

はくじょうもの！

いくら
いるの？
59円(えん)。
ありが
とう。
まった！

59円(えん)　かしたら、
いくら　のこるか、
けいさん　するから
てつだって。
437円(えん)から
59円(えん)を
ひけば
いいんだね。
そうだよ。
7　ひく　9は
ひけないから、
10の　くらいから
1を　くり下(さ)げて、
けいさん　する。
437
－　59
2　1
4　3　7
－　5　9
8
つまり
17から　9を
ひいて
8に　なるね。

そうか、
3からじゃ
なくて、
2 から 5を
ひくんだ。

2
437
− 59
8

100の　くらいから
1を　かりて きて、
12　ひく　5で
7に　なるな。

3 1 2
437
− 59
78

437
− 59
78

4じゃなくて
3だろ!?
さっき
100の　くらいから、
1を　かりたん
だから、
3
437
－　59
378
よし、
もういちど
やるぞ！
のび太くんは
わすれんぼの
てんさいだね。
のび太くんの
おかげで、
ドラやきを
かえなかった。
きょうは
おわりま
した。

れんしゅう しよう

1 □に かずを いれましょう。

582−286のけいさんは

① 582 −286 = □

2−6は ひけないので 8から 1を くり下(さ)げ、□−6にする。

② 582 −286 = □□

8は、くり下(さ)げて 7になっている。7−8は、ひけないので、5から1くりさげ □−8になる。

③ 582 −286 = □□□

5は、1くり下げて、□になっているので、□−2になる。

2 ひきざんを しましょう。

① 485 − 43

② 962 − 51

③ 654 − 25

④ 724 − 68

⑤ 283 − 89

⑥ 645 − 303

⑦ 437 − 319

⑧ 398 − 169

⑨ 531 − 384

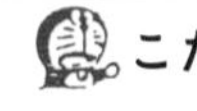
こたえは 218〜223ページに あります。

■(　　)の　けいさん

でんしょばとなんびき？
●(　　)を使った計算
(　　)は１つのまとまりをつけるために用い、(　　)の中は先に計算すること、たし算はたす順序を変えても答えは同じことなどを理解できる。
(留意点) (　　)を用いることにより、工夫すれば計算を、かんたんにできることに気づかせる。
でんしょばとをかってるんだ。

はとを　車に　のせて　どこへ　いくの？
くんれんだよ。
ブオーッ

こんな　とおい
ところから、
いえに
かえれるの!?
ここから
はとを
はなすんだ。
クルル
クルルー　クルルー
のび太くん なんか
いえの ちかくでも
まいごに なるのに
ね。
だいじょうぶだよ、
見ててごらん。
Aの　かごを
はなすぞ。
バサ
バサバサ

いえで
まって　いよう。
ブォーッ
つづいて
Bの　かご
だ。
ほんとに
かえって
くるのかなあ。
あっ、
かえって
きた！
Aの　かごの
はとだ。

Bの　かごの
はとも
かえって　きたぞ。
ばんざあい！

ぜんぶで
なんわ　いるの？

こやに　いたのが　5わ
Aの　かごが　4わ、
Bの　かごが　6わ、
だから…。
5＋4＋6＝

3つも　かずが
あると、わかり
にくいなあ。
6
5
4

よし、こんかいは、
（　）を　つけて、
けいさん　して、
みよう。
カッコ？

カッコー
カッコー
それは
かっこうだろ。

かっこ、つまり
(　　)を　つけた
しきが　これだ。
5＋(4＋6)＝
これに　どんな
いみが　あるの？

(　　)を　つけると、
これに　かこまれた
しきの　ほうから、
先(さき)に　けいさん
する　きまりに
なって　いるんだ。
5＋(4＋6)＝
この　しきから
けいさん　する

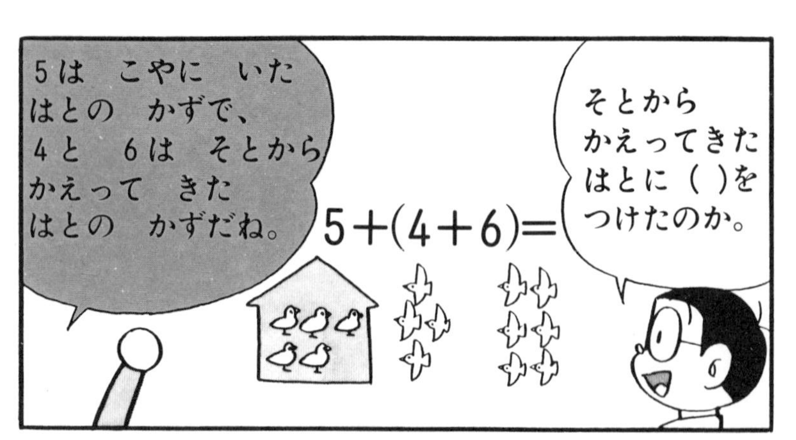
5は　こやに　いた はとの　かずで、 4と　6は　そとから かえって　きた はとの　かずだね。
5＋(4＋6)＝
そとから かえってきた はとに（ ）を つけたのか。

5＋(4＋6)＝
10
のび太くん、 やって　みて。
（ ）の 中から、 先に やると、 こたえは 10だね。

つぎは、 5と　10を たす。
5＋(4＋6)＝15
10
たす
15だ。

(5＋4)＋6＝15
9
たす
たしざんだけのときは、( )の いちをかえても、こたえは おなじだね。

ママにも、おしえてやろう。
( )の中を先に やってね。
おやつ(しゅくだい)
いわなきゃよかった。

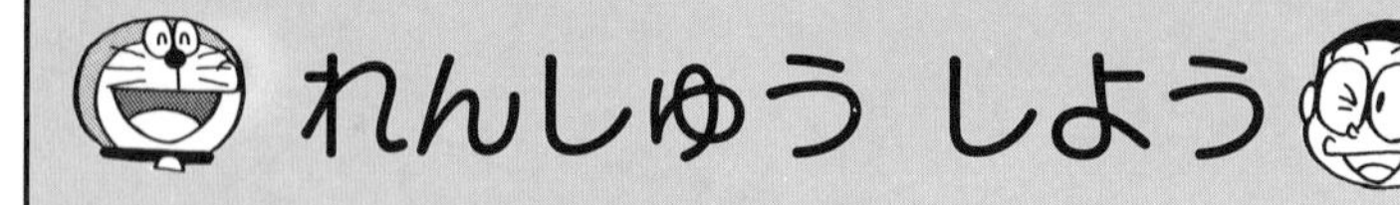

1 けいさんを しましょう。

① $(8+2)+3=$　　② $(5+2)+3=$

③ $9+(3+4)=$　　④ $4+(5+5)=$

⑤ $8+(5-3)=$　　⑥ $2+(8-7)=$

⑦ $(3-2)+8=$　　⑧ $(9-3)+8=$

2 けいさん をして こたえを くらべましょう。

① $(6+5)+3=$　　② $(8-5)+3=$

$6+(5+3)=$　　$8-(5+3)=$

3 つぎの ぶんを、(　)を つかった しきに あらわして、けいさん しなさい。

100円(えん)で 20円(えん)と 30円(えん)と 40円(えん)の おかしを 1つずつ かいました。おつりは いくらでしょう。

しき

こたえは 218〜223ページに あります。

■3つの　かずの　けいさん

ほし空がほしい！

●3つの数の筆算
46＋38－29、36＋18＋29のような、3つの数の計算ができる。
（留意点）たし算だけのときは、1の位どうし、10の位どうしをたす。問題によって＋－を正しく使い（　）なども使って立式させる。

ガーン!

これを　たたいて
ごらん。

この　火花(ひばな)が
ほしに　なるん
だ。
チリン

パッ

きれい
だね。

まるく　なって
ひかりだした。

大きい ほしを 一とうせい 小さいのを 二とうせいに しよう。

たくさん できた！

空きちに うかべて ほし空を つくろう。

一とうせいが 46こで 二とうせいが 38こ ある。

めずらしい 石だな。

一(いっ)とうせいが、46こと、二(に)とうせいが38こ　あったから、

29こ　もって　いかれた。
のこりは　なんこ？

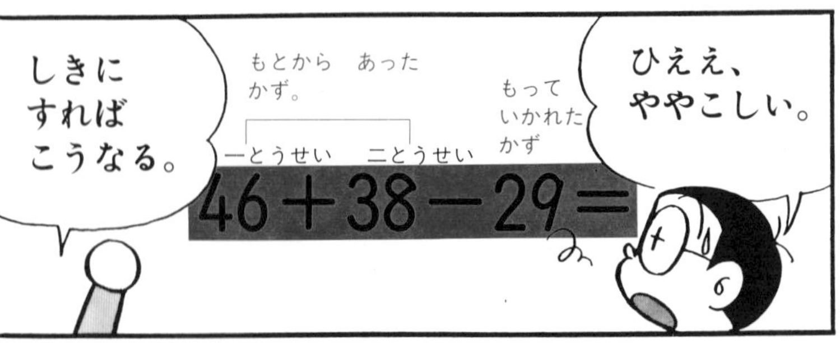
ひえぇ、ややこしい。
もって　いかれた　かず
もとから　あった　かず。
一とうせい　二とうせい
46＋38－29＝
しきに　すれば　こうなる。

そして　ひきざん　だね。
84
－29
55

46
＋38
84
じゅんばんに　やって　いけば、いいんだ。
はじめは　たしざんで。

たしざん　だけの
ばあいは、
こんな　しきに、
すると　けいさん
しやすい。
たとえば
36＋18＋39＝
3つを
かさねる
のか
36
18
＋39

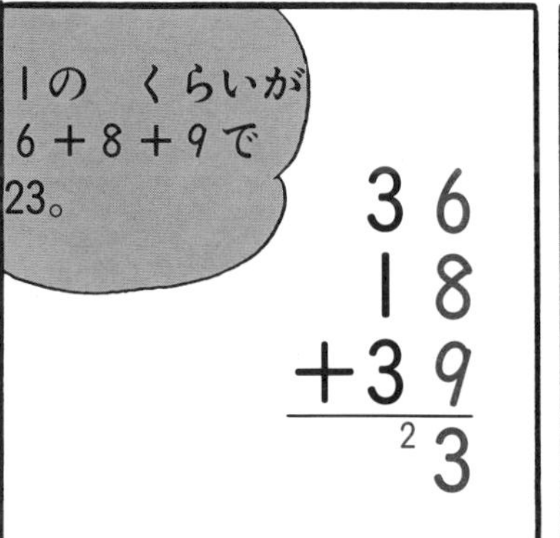
1の　くらいが
6＋8＋9で
23。
36
18
＋39
2 3

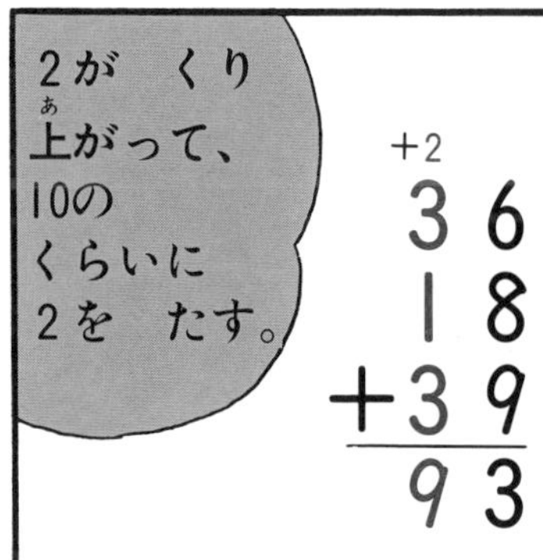
2が　くり
上(あ)がって、
10の
くらいに
2を　たす。
＋2
36
18
＋39
93

この　けいさんが、
できれば
つぎの　もんだいも、
かんたんだよ。

1000円(えん)　もって　います。
56円(えん)と、29円(えん)と、38円(えん)の
かいものを　すると、
おつりは　いくらでしょう。
1000
千円
1000

1000－(56＋29＋38)＝
つかった お金
( )の しきから、先に けいさん、すると こう なる。
↑しき
5 6
2 9
＋ 3 8
1 2 3

1000円から123円をひけばおつりは877円だね
1000
－ 123
877

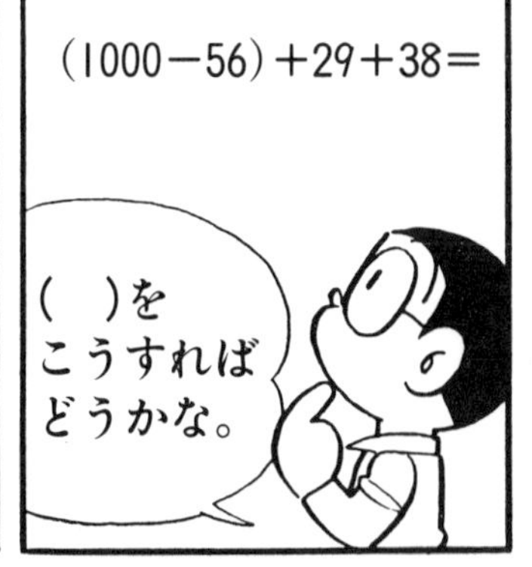

(1000－56)＋29＋38＝
( )をこうすればどうかな。

まず( )の 中が先だから1000から 56をひく。
1000
－ 56
944

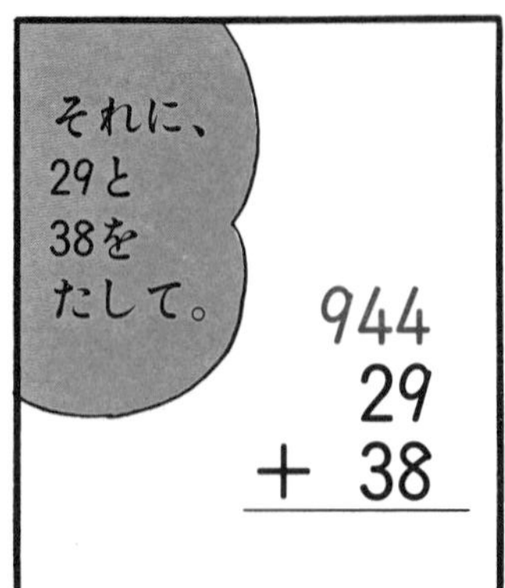

それに、29と38をたして。
944
29
＋ 38

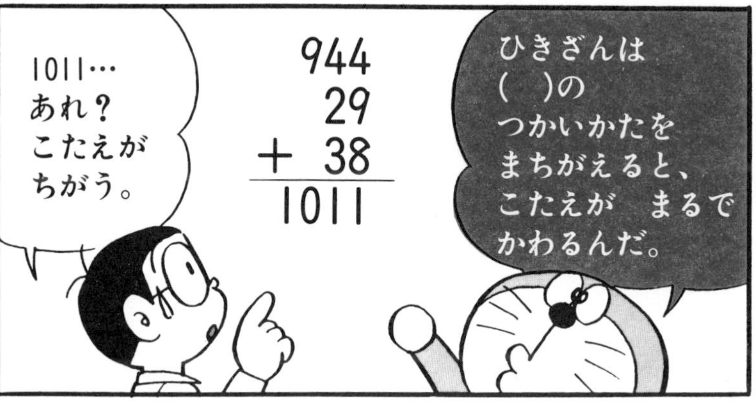

1011…
あれ？
こたえが
ちがう。
944
29
＋ 38
1011
ひきざんは
(　)の
つかいかたを
まちがえると、
こたえが　まるで
かわるんだ。

(　)の　中は、
おなじ　なかまなんだ。
56＋29＋38は　どれも
かいものを　して、
つかった　お金
だろ？
そうか、
(　)は
1000円から
まとめて ひく
ためだった
んだね。

これは　とっても
だいじな こと　なんだ、
(　)の　つかいかたは、
気を　つけてね。
(　)

気を　つけると
いえば、

エネルギーの
かたまりだから、
へたに　おとしたり
すると　すごい
音で　はれつする。

この　ほしも　気を
つけないと、
あぶないんだ。

パン!パン!パーン!
うひゃ。

音で、
びっくり　して
気ぜつ
しちゃった。

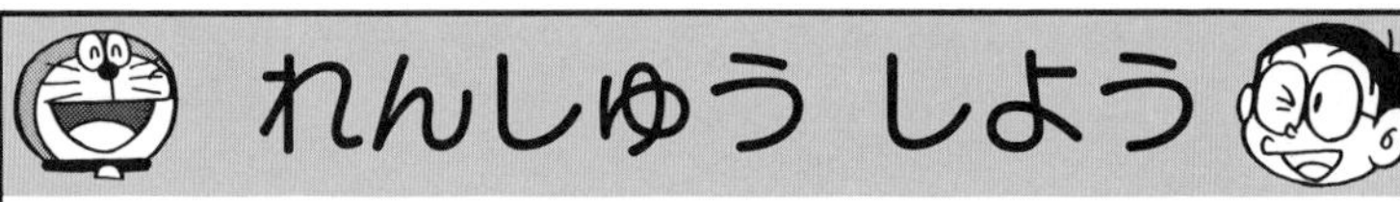

れんしゅう しよう

1 たしざんを しましょう。

① 57 + 91 + 26 =

② 51 + 49 + 36 =

③ 81 + 32 + 58 =

④ 45 + 29 + 62 =

⑤ 64 + 43 + 87 =

2 ひきざんを ひっさんで しましょう。

① 52＋46−25＝

② 75−13＋62＝

③ 83−24−15＝

3 500円(えん) もって おつかいに いき、155円(えん)と 50円(えん)と 28円(えん)の かいものを しました。お金(かね)は いくら のこりましたか。

しき

ひっさん

こたえは 218〜223ページに あります。

■あんざんに　なれよう

あたまは けいさんき

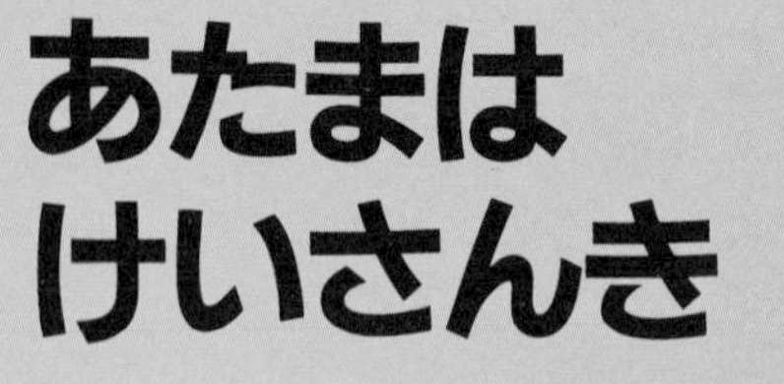

●たし算の暗算
2桁＋2桁程度のたし算が暗算でできる。
（留意点）暗算はおよその大きさをとらえるのに便利なこと、鉛筆がなくてもできて、よいことなどに気づかせる。

ついでに、
かみと
えんぴつを
かって　いこう。

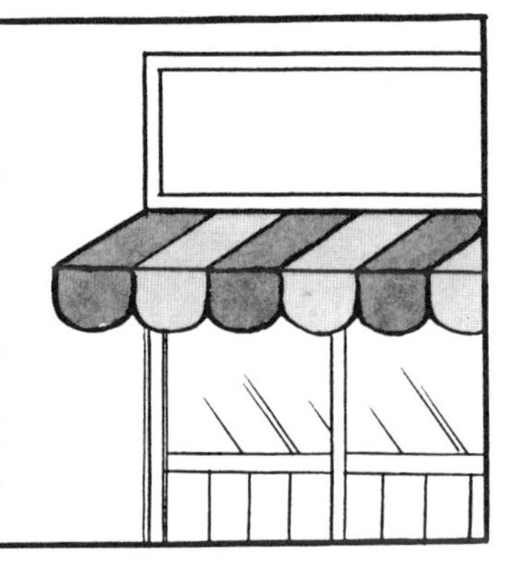

えんぴつが　47円
かみが　8円
だよ。

ということは、
ええと。

ドラえもん、
かみと
えんぴつ
出して。
それくらい、
あんざんで
やれよ。

47＋ 8

あたまの　中で、
1の　くらいと
10の　くらいを
わけて
やれば
いいよ。
40と 7
8

こんがら
がった。
47+00

じゃ
15円ね。

そうか、
7と8を
たせば
いいんだ。
7+8=15

いけない、
55円か。
40+15=55
わけた　あとの
40を　わすれて
るよ！

まず　たまごを
かうんだ。
だいじょうぶか
なあ。

1こ
24えん
1こ
38えん

1こずつ　かうと、
24　たす　38だから。

くらいを　わけて、
24　→　20と　4
38　→　30と　8。
そうそう。

4と　8で　12
20と　30で　50
そして、12に　50を
たせば、
4＋8＝12
20＋30＝50

62円(えん)！
その
とおり！

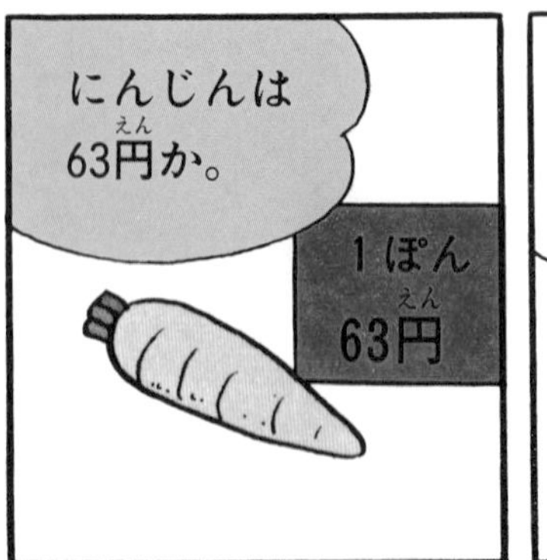
にんじんは
63円(えん)か。
1ぽん
63円(えん)

にんじんを
15円(えん)
おまけして
くれたら、
いくら？
ひきざんも、
やって　みよう。

63を　けいさん
しやすい　ように
50と13に、
15を　10と　5に
わけるんだ。
63－15
↓　↓
50と13　10と5
どうやるの
？

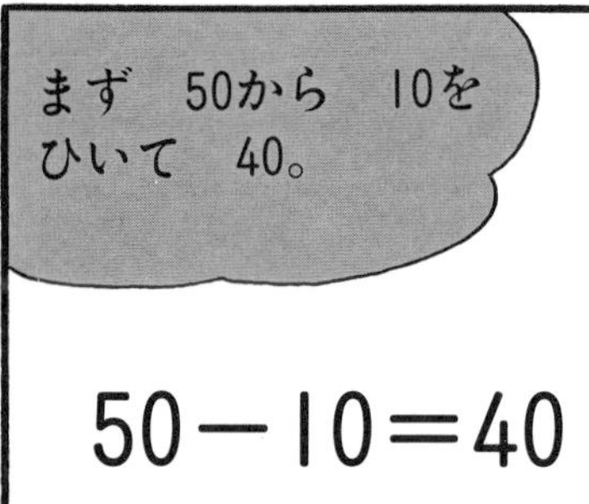

つぎに13から 5を
ひいて 8。

13－5＝8

■大きい　かずの　けいさん（チャレンジ問題）

それじゃ
ドラえもんが、
もんだいを
出して　みてよ。
そんな、やさしい
もんだいで、
とくいに
なってちゃ
だめだろ。

19460＋8380＝

かずが　大きく
なったからって、
むずかしく　なった
わけじゃ　ないよ。

ひ、ひどい、
あんまりだ！

100の
くらいは、
1くり上
がってる
のをたして
8だね。

19460
+ 8380
840

1000の
くらいが
17だから、
1つ
くり
上がる。

19460
+ 8380
7840

かずが　大きく
なっても、けいさんの
しかたは　かわら
ないから、
ゆっくり　やれば、
できるんだね。

この　もんだいを
やろう。

ドラえもんに　一年まえ
かした、190円と、
はん年まえ　かした　56円、
あわせて　246円を
かえして。

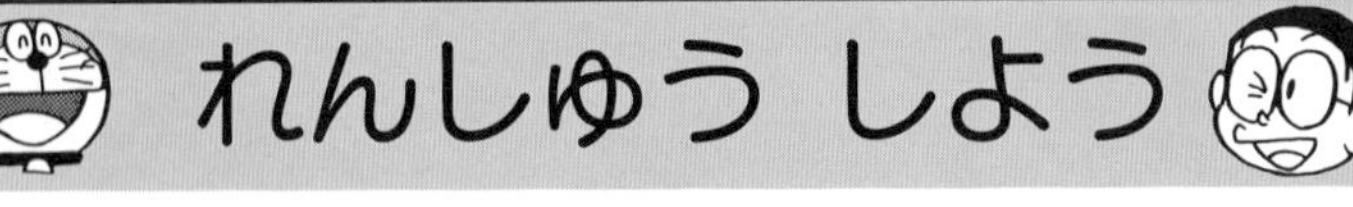

れんしゅう しよう

1 けいさんを しましょう。

① $\begin{array}{r} 3265 \\ +\ \ 214 \\ \hline \end{array}$

② $\begin{array}{r} 4326 \\ +\ \ 353 \\ \hline \end{array}$

③ $\begin{array}{r} 3740 \\ +\ \ 325 \\ \hline \end{array}$

④ $\begin{array}{r} 4639 \\ +3250 \\ \hline \end{array}$

⑤ $\begin{array}{r} 3206 \\ +1484 \\ \hline \end{array}$

⑥ $\begin{array}{r} 5844 \\ +3157 \\ \hline \end{array}$

⑦ $\begin{array}{r} 6578 \\ -\ \ 435 \\ \hline \end{array}$

⑧ $\begin{array}{r} 8321 \\ -\ \ 221 \\ \hline \end{array}$

⑨ $\begin{array}{r} 3755 \\ -\ \ 548 \\ \hline \end{array}$

⑩ $\begin{array}{r} 8592 \\ -\ \ 261 \\ \hline \end{array}$

⑪ $\begin{array}{r} 3635 \\ -3416 \\ \hline \end{array}$

⑫ $\begin{array}{r} 6248 \\ -3149 \\ \hline \end{array}$

こたえは 218〜223ページに あります。

■でんたくの　つかいかた

小(ちい)さいけれど　すごいやつ

●電卓を使う

電卓を使って、たし算、ひき算を行い、筆算のたしかめができるようにする。

（留意点）最初から電卓を用いることのないように注意する。筆算で計算させてから、自分で答え合わせをするのに電卓を用いさせる。

でんたくか！
これが　あれば、こわい　もの　なしだよ。

なんで　だよう！
こんな　もの　つかってちゃ　だめ！

でんたくを　つかうのは、けいさん した　こたえが　あっているかを　たしかめる　ときだけに　しないと　だめ！

これを　つかって　できても、さんすうの　力（ちから）は　つかないよ。

わかった。
これを　つかって
けいさん　しても
そん　するのは
のび太くん
だからね。
でんたくの
ほうが、
らくだもんね。
ピッ
ピッ
へへっ、
そんな　こと
いっても。

ドラえもん、
こわれた　でんたくと
とりかえたな。
ぜんぶ
まちがっとる。

■たしざんに　みえる　ひきざん

ことばの おとしあな

●逆思考の問題

□＋a＝bの□を求めるような文章題が解ける。

（留意点）たし算の問題のようにみえるが、答えを求めるときは、ひき算になるなど、逆の計算になることに注意させる。

バス
つぎの ていりゅうじょで、5人 のったので、ぜんぶで 14人に なりました。では はじめに のって いたのは、なん人？

さんすうの なぞなぞ。
うそつき、さんすうの もんだいじゃ ないか。

「5人のった」わけだから、これは たしざんだ。
5＋14＝19
のび太

なんでえ!?
マチガイ
マチガイ
5＋14＝19

のってきたんだから、たしざんじゃないの？
14－5＝9
これはひきざんだよ。

はじめにのっていた人
のってきた人
?
5人
あわせて 14人
はじめにのって いた人の かずを、こたえるんだよ。

「のってきた」と　いう
ことだけで　たしざんと
きめつけるから、
まちがえるんだ。
はじめの人ずう
のってきた人ずう
ごうけいの人ずう
□＋5＝14
14－5＝□

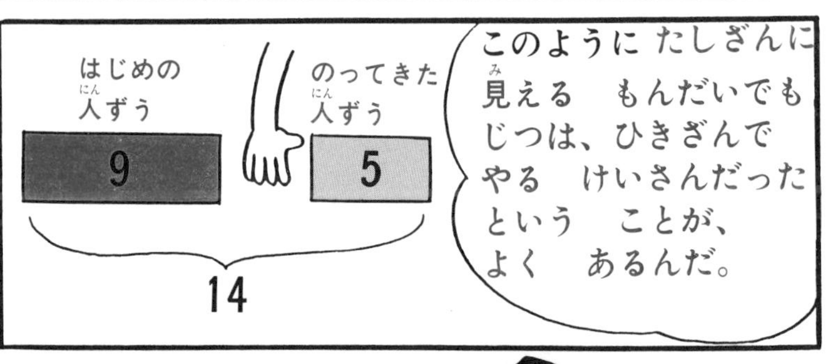
はじめの人ずう
のってきた人ずう
9
5
14
このように たしざんに
見える　もんだいでも
じつは、ひきざんで
やる　けいさんだった
という　ことが、
よく　あるんだ。

たしざんと　ひきざん
よく　わかったかな。
なんども　よみなおして
れんしゅう　もんだいを
どんどん　やろうね。
よし！

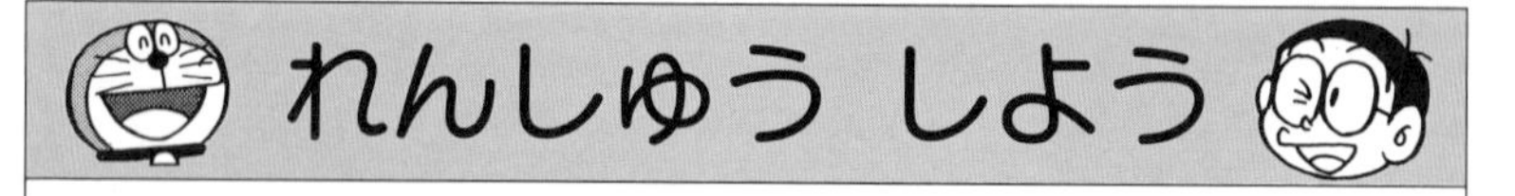

れんしゅう しよう

1 つぎの もんだいを しきと こたえを かいて ときましょう

① きょうしつに なん人か いましたが、6人 ふえたので 35人に なりました。はじめに きょうしつには なん人 いましたか。

② えんぴつは 45円で けしゴムより 15円 やすいです。けしゴムは いくらですか。

③ きんぎょと めだかを かっています。きんぎょは 5ひきで、めだかより 2ひき おおいです。めだかは なんびきですか。

こたえは 218〜223ページに あります。

④　こうすけくんの　たいじゅうは、みつこさんより　2キログラム　おもくて、24キログラムです。みつこさんは、なんキログラムですか。

また、先生（せんせい）の　たいじゅうは、こうすけくんと　みつこさんの　たいじゅうを　あわせた　おもさより　19キログラム　おもいです。先生（せんせい）の　たいじゅうは　なんキログラムですか。

⑤　たろうくんの　いえから　学校（がっこう）まで356メートルです。とちゅうに　ひとみさんの　いえが　あり、学校（がっこう）から　ひとみさんの　いえまで、78メートルです。たろうくんの　いえから　ひとみさんの　いえまで　なんメートルですか。

れんしゅう しようの こたえ

12ページ

1　① 3　② 1　③ 2　④ 3　⑤ 5

　⑥ 3　⑦ 5　⑧ 7　⑨ 9　⑩ 8

2　① 3　② 5　③ 7　④ 2　⑤ 2　⑥ 4

19ページ

1　① 9　② 8　③ 3　④ 4　⑤ 5　⑥ 6

　⑦ 7　⑧ 2　⑨ 1

2　①　1-④-5　2-③-5　3-②-5

　②　3-③-4　5-①-4　1-⑤-4

　　2-④-4　4-②-4

56ページ

1　① 5　② 6　③ 3　④ 9　⑤ 10

　⑥ 9　⑦ 10　⑧ 10　⑨ 9　⑩ 7

2　①（れい）ドラえもんが　ケーキを　3こ　もって　いました。そこへ　おとうさんが　1こ　くれました。ケーキは　ぜんぶで　なんこに　なったでしょう。

$3+1=4$　4こ

②(れい)　のび太くんが　ボールを　5こ　あつめましたが、また2こ　ひろいました。ボールは　ぜんぶで　なんこに　なったでしょう。

5＋2＝7　7こ

61ページ

1　① 2　② 2　③ 1　④ 2　⑤ 5
⑥ 2　⑦ 1　⑧ 5　⑨ 2　⑩ 7

2　①6－4＝2　2ひき　② 4－2＝2　2こ
③5－3＝2　2こ

67ページ

1　① 3　② 5　③ 8　④ 1　⑤ 9
⑥ 4　⑦ 0　⑧ 0　⑨ 0　⑩ 0

74ページ

1　①7、10　②7、9　③10、5　④4、10
⑤4、1

2　①5－3＋4＝6　6わ　②10－3－4＝3　3こ

83ページ

1　① 3、2　② 3、2

2　① 2、12　② 5、14

3 ① 12 ② 11 ③ 15 ④ 11 ⑤ 14

⑥ 18 ⑦ 17 ⑧ 13 ⑨ 16 ⑩ 13

91ページ

1 ① 10 ② 5 ③ 3

2 ① 5、5、9 ② 10、10、2

3 ① 7 ② 8 ③ 6 ④ 3

⑤ 7 ⑥ 9 ⑦ 8 ⑧ 9

102ページ

1 11→3、6、4、8 12→7、6、9 13→9、6、4 14→6、5 15→7 16→7 17→9 3→8 4→13 5→7 6→5、14 7→11、6、9 8→4、14、16 9→11、4、16、9

111ページ

1 ① 4 ② 3 ③ 6

2 ① 12－7＝5 5人(にん)

② 8＋5－1＝12 12人

124ページ

1 ① 5、6

2 ① 57 ② 87 ③ 48 ④ 28 ⑤ 19

⑥ 19　⑦ 39　⑧ 96　⑨ 73　⑩ 97

⑪ 95　⑫ 90　⑬ 71　⑭ 43　⑮ 13

⑯ 85　⑰ 31　⑱ 44　⑲ 17　⑳ 30

146ページ

1 ① 68　② 87　③ 78　④ 99　⑤ 74

⑥ 59　⑦ 89　⑧ 97

2 ① 67　② 77　③ 77

④ 79　⑤ 39　⑥ 98

153ページ

1 ① 95　② 82　③ 53　④ 91

⑤ 91　⑥ 92　⑦ 70　⑧ 71

2 ① 95　② 83　③ 51　④ 131

⑤ 127　⑥ 108

163・164ページ

1 ① 33　② 54　③ 25　④ 61

⑤ 28　⑥ 35　⑦ 77　⑧ 31

⑨ 16　⑩ 16　⑪ 24　⑫ 35

2 ① 62 ② 23 ③ 64 ④ 55

⑤ 65 ⑥ 37 ⑦ 26 ⑧ 77

⑨ 29 ⑩ 27 ⑪ 6 ⑫ 46

⑬ 18 ⑭ 17

170ページ

1 2、5、7、700

2 ① 500 ② 900 ③ 900 ④ 700 ⑤ 380

⑥ 950 ⑦ 205 ⑧ 508 ⑨ 1000 ⑩ 1000

⑪ 1100 ⑫ 1300 ⑬ 285 ⑭ 529

174ページ

1 ① 1、1 ② 2、1、1、1 ③ 6、2、1、1、6

2 ① 378 ② 659 ③ 529 ④ 393

⑤ 677 ⑥ 978 ⑦ 858 ⑧ 829

⑨ 812 ⑩ 922 ⑪ 1010 ⑫ 1352

180ページ

1 ① 6、12 ② 9、6、17 ③ 2、9、6、4、4

2 ① 442 ② 911 ③ 629 ④ 656 ⑤ 194 ⑥ 342

⑦ 118 ⑧ 229 ⑨ 147

188ページ

1 ① 13 ② 10 ③ 16 ④ 14 ⑤ 10
⑥ 3 ⑦ 9 ⑧ 14

2 ① 14、14 ② 6、0

3 100－(20＋30＋40)＝10 10円(えん)

197ページ

1 ① 174 ② 136 ③ 171 ④ 136 ⑤ 194

2 ① 73 ② 124 ③ 44

3 500－155－50－28＝267
または 500－(155＋50＋28)＝267 267円(えん)

208ページ

1 ① 3479 ② 4679 ③ 4065 ④ 7889 ⑤ 4690
⑥ 9001 ⑦ 6143 ⑧ 8100 ⑨ 3207 ⑩ 8331
⑪ 219 ⑫ 3099

216ページ

1 ① 35－6＝29 29人(にん)
② 45＋15＝60 60円(えん)
③ 5－2＝3 3びき
④ みつこ 24－2＝22 22キログラム
先生(せんせい) 24＋22＋19＝65 65キログラム
⑤ 356－78＝278 278メートル

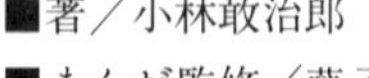

■著／小林敢治郎

■まんが監修／藤子・F・不二雄

©藤子プロ　1991, 2002

■まんが／いそほ　ゆうすけ

■まんが構成／村田ヒロシ

■表紙デザイン／佐野恒雄（CSJ）

ドラえもんの学習シリーズ

ドラえもんの算数おもしろ攻略

★改訂新版★　たしざん・ひきざん

1991年10月1日　初版第1刷発行
2002年4月20日　改訂版第1刷発行
2009年4月1日　改訂版第15刷発行

発行者　宮木立雄

発行所　株式会社 小学館

東京都千代田区一ツ橋2−3−1　〒101-8001
電話・編集／東京03（3230）5390
販売／東京03（5281）3555

印刷所　図書印刷株式会社　製本所　株式会社難波製本

ISBN 4-09-253181-8